La otra orilla

Su casa es mi casa

Antonio García Ángel

Su casa es mi casa

 La otra orilla

www.librerianorma.com
Bogotá Barcelona Buenos Aires Caracas
Guatemala Lima México Panamá Quito San José
San Juan San Salvador Santiago de Chile Santo Domingo

García, Antonio
    Su casa es mi casa / Antonio García. -- Bogotá : Grupo
Editorial Norma, 2008.
    192 p. ; 23 cm. -- (La otra orilla)
    ISBN 978-958-45-1572-8
    1. Novela colombiana I. Tít. II. Serie.
Co863.6 cd 21 ed.
A1190799

            CEP-Banco de la República-Biblioteca Luis Ángel Arango

© 2001, Antonio García Ángel
© 2008, de la presente edición en castellano para todo el mundo de habla hispana
Editorial Norma, S. A. para *La otra orilla*
Primera edición: noviembre de 2008

Imagen de la cubierta: Jupiter Images
Cubierta: Felipe Ruiz Echeverry
Armada: Blanca Villalba Palacios

Impreso por Cargraphics S.A. - 9471
Impreso en Colombia - *Printed in Colombia*
Noviembre de 2008

ISBN 978-958-45-1572-8
CC 26000692

Me tomé la libertad de utilizar algunos apartes de *La Celestina*, en unos casos conservándolos en su forma original; en otros, adaptándolos a los requisitos de la narración.

La metáfora de la tarántula y la papilla es de Chandler en la traducción de César Aira. Sabrán perdonar el atrevimiento.

Para Giova y Checho, porque esto es un
sueño compartido.

Y para El Güey, a quien le debemos
tanto este libro y yo.

…¿había soñado Minelli con ese otro Minelli al que no había visto porque él era, en el sueño, la mirada y los sentimientos del extraño, del intruso, o del testigo del miedo de esa mujer aislada en el espejo fulminante de la llanura, bajo la lluvia, donde ella parecía anhelarlo o recibirlo o estar dispuesta a aceptar que la imperfección de la realidad es la condición del destino?

Juan Martini, *El fantasma imperfecto.*

PRIMERA PARTE

Cuando doña Magola me abrazó, me temblaron las piernas. Era como si todo mi cuerpo se negara a llorar y ellas se hubieran rebelado, traicionando la tranquilidad que pretendía aparentar. Me subí al camión de mudanzas y no quise mirar atrás, desconcertado porque había llamado a quejarme sistemáticamente de la comida, la dificultad para estudiar con tanta gente y la calaña de los demás inquilinos, y no comprendía que estuviera triste cuando me estaba largando por fin hacia un apartamento, después de aplicar toda la hipérbole necesaria para convencer a mi papá de que me pagara el arriendo. La verdad, no la estaba pasando tan mal, pero sentía que ya era hora de tener un lugar que pudiera ser enteramente mío, con las ventajas de estar solo y lejos del control de la residencia en la que había estado viviendo.

Visité cuchitriles, sitios tenebrosos, impagables y mal ubicados antes de dar con lo que quería: barato, cerca de la universidad y con buena vista. La dueña era una viuda que detestaba las inmobiliarias y arregló las cosas conmigo sin poner muchas trabas. Aunque el apartamento consistía en un cuarto pequeño, un baño estrecho y una salita con cocina americana, pensaba que iba a verse inmenso cuando organizara en él las pocas cosas que traía en la parte de atrás del camión: un escritorio, un computador, una lámpara, una biblioteca de tres anaqueles, desarmable, que consistía en dieciséis ladrillos y tres tablas, las medallas de natación, ropa, una colchoneta, un televisor Sony de los primeros con control remoto, los libros de Taibo, de Boris Vian, *La vorágine...* en fin, mi grabadora, afiches, los 113 compactos y 44 casetes que componen mi vademécum musical, ollas y vajilla por estrenar, algunas pendejadas de esas que uno se resiste a desechar más por nostalgia que por necesidad y un portarretrato con la última foto que le tomaron a mi mamá, una semana antes de que se largara.

Salvo un par de indicaciones sobre la ruta que debíamos seguir, no crucé palabra con los del trasteo. Dos de ellos callaban por voluntad; al tercero, cuyo cuerpo consistía en una trenza de músculos hipertrofiados, nunca lo escuché musitar; había un código de señas bastante discreto e indescifrable, consistente en movimientos de cabeza, por el cual sus compañeros se entendían con él. Agradecí su silencio porque cada palabra que tuve que decir amenazaba con quebrarme la voz.

Bajaron las cosas del camión, las apilaron frente a la portería y, sorprendentemente, me cobraron diez mil pesos más por subirlas al apartamento.

—¿Cobran extra por caminar doce pasos hasta el fondo del edificio y meter las cosas en el ascensor, que prácticamente los deja en la puerta del apartamento? Ustedes deben ser muy vagos, les debe parecer muy doloroso trabajar.

Mi protesta era irónica, lo acepto, pero buscaba la sensatez, la compasión y hasta una disculpa, nunca que ese descomunal amasijo de carne avanzara hacia mí con la cara descompuesta de ira, como si alguna palabra hubiera detonado en su cabeza un impulso asesino.

Mi instinto de conservación hizo que la alcancía que tenía en las manos se estrellara en su cabeza. El grandote aterrizó en medio de una lluvia de monedas de todos los tamaños. Una parte desconocida de mí, quizá la que reúne todas las cosas de las que podría arrepentirme, tomó el mando de mis acciones.

—Si quieren los diez mil pesos, recójanlos —les dije a los otros dos con mi mejor tono de Charles Bronson, bajo el supuesto de que Charles Bronson guardara sus ahorros en un marranito de barro.

Los tipos estaban más desconcertados que yo; por eso tardaron en reaccionar. Mientras tanto yo iba tomando conciencia de que soy cualquier cosa menos el atrevido que aparentaba ser. Uno de ellos, el conductor, quiso hacerme frente, pero el otro lo detuvo cuando vio que me apoderaba de una olla de presión con las mismas intenciones que obraron sobre su compañero, que estaba tendido en el piso como una foca.

—Esto no se queda así, hijueputa —me advirtió el conductor mientras lo levantaban entre los dos. Casi pensé que me iban a pedir ayuda cuando los vi pujando con tanto peso.

El miedo, ese intruso que había conseguido exiliar mientras el camión se alejaba, se clavó en mi estómago y en mi cabeza. Me senté en el andén y me puse a llorar, no sé si de nostalgia, alivio o preocupación.

La calle parecía un cielo estrellado por el sol que hacía brillar las monedas desperdigadas en el asfalto ennegrecido.

—¿Le ayudo a recoger las monedas? —me preguntó el portero del edificio, un tipo parecido a Cantinflas pero sin los bigotes y que, por esas coincidencias que ninguna ciencia puede explicar, tenía por nombre Mario.

—No, gracias, no están pesadas, pero le agradecería si me echa una mano con lo demás.

—¿Adónde se está trasteando?

—Al cuatrocientos seis.

Mario se sentó a llenar un crucigrama argumentando que no podía dejar la portería. Yo maldije no haber pagado la plata y me resigné a llevar las cosas en un proceso que tomó casi dos horas por la estrechez y lentitud del ascensor.

Acomodé la colchoneta en una esquina del cuarto, con la lámpara de leer en la cabecera; enfrente puse el televisor sobre dos ladrillos que sustraje a la biblioteca para que mis pies no se atravesaran en la pantalla cuando estuviera acostado. Contra la ventana del cuarto, que daba hacia la parte trasera del edificio vecino, puse el escritorio y en él mi computador; luego llené el clóset con ropa y aproveché para deshacerme de dos camisetas que estaban casi transparentes por el uso, asignándole las funciones de trapo de cocina a una de ellas y otorgándole muerte digna por cremación a la de Radiohead, que fue mi favorita durante mucho tiempo y ahora que estaba hecha un desastre no merecía terminar sus días como instrumento de limpieza. El ritual funerario tuvo lugar en un pequeño lavadero que quedaba en el corredor que conducía al baño.

La cocina consistía en un rectángulo embaldosado que tenía un estante, una estufa de dos resistencias, un horno que estaba dañado, el citófono y un espacio para instalar la nevera. Estaba separada de la sala por un mesón que hacía las veces de comedor. Llené el estante con la loza y las ollas, saqué las telarañas que se habían acumulado en el interior del horno y procedí con la sala. Allí pegué dos afiches, armé la biblioteca, desempaqué los libros y los puse en los anaqueles, apilé los compactos en un rincón y conecté la grabadora.

Para celebrar mi llegada compré unas cervezas y las desocupé frente al ventanal de la sala mientras escuchaba *Our House*, de Madness, una y otra vez. En primer plano se veían los edificios de la Javeriana. Al fondo, cuando se hizo de noche, Bogotá parecía un charco de luz en la oscuridad.

Al cerrar la puerta del apartamento tenía la vejiga vacía, pero en el transcurso al primer piso sentí unas ganas de orinar tan fuertes, que tuve que detener el ascensor en el segundo y subir las escaleras atléticamente, abrir la puerta con una mano mientras con la otra desenfundaba, y precipitarme al baño como si de ello dependieran mi existencia sobre la Tierra, la felicidad eterna y el amor verdadero. Abrí los diques y me deshice en una meada torrentosa, abundante, dorada y cristalina; se me estremeció el cuerpo con las últimas gotas que salieron y quedé como un globo desinflado. Tras un suspiro de alivio, llegué a la calle casi levitando, ingrávido, sintiendo la insoportable (mente buena) levedad del mear.

Sensación que se desvaneció como un suspiro a cuadra y media del edificio, cuando ya había encontrado en las cervezas de la noche anterior explicación para el ataque diurético que acababa de sufrir, dejando en su lugar la angustia de otra meada que bullía en mi interior buscando salida. Miré hacia atrás y calculé que no podría volver a tiempo, entonces busqué a mi alrededor: la cuadra estaba vacía, ni un alma, a diez metros había un poste en el que podría hacerlo plácidamente. Sin pensarlo un segundo más, caminé hacia el poste, desenfundé nuevamente y le abrí camino a un chorro sonoro, grueso y salpicante. Cerré los ojos y miré hacia el sol, el color naranja de la luz sobre mis párpados me pareció de la misma materia que teñía los orines y todo mi ser fue meada. Meo, luego existo.

Abrí los ojos, exultante, y me topé con una señora que estaba paseando un pequinés maricón. Me miraba fijamente a los ojos, y luego examinaba mi verga con reprobación. Me dio vergüenza, quise cortar la meada y no pude, por más que me esforzaba, detener el chorro que salía a mares de mis adentros. En ese momento, otra señora con un pequinés maricón apareció; su rostro era una pequeña variación del de la primera, como si fueran hermanas, y llevaba el mismo vestido. Ambas me miraron y empezaron a comentar cosas entre sí, en un idioma que no pude entender. Les di la espalda y me encontré con otra señora, de cara parecida a las anteriores, con un pequinés maricón y el mismo vestido, que me miraba de la misma manera. Mientras tanto, un río de orines marchaba lentamente hacia la alcantarilla, alimentado por mí litro a litro. La cuadra se llenó de una multitud incontable de señoras con perritos, de vestido azul aguamarina con flores rosadas, amenazantes, hablando un idioma que desconocía. Eché a correr dejando una estela de orines a mi paso y regresé al edificio. La portería estaba cerrada, Mario estaba resolviendo un crucigrama y no me oía; las señoras se aglomeraban a mis espaldas, gritándome cosas incomprensibles. Hundí el timbre y Mario no se inmutó, una jauría de perritos maricones me estaba mordiendo los pies. El timbre cobró resonancias cada vez más fuertes, opacó los ladridos y las arengas de las señoras y se elevó hasta traspasarme los tímpanos. Las señoras se desvanecieron en un vendaval de orines, todo se desvaneció. Estaba sonando el teléfono.

—...¿Aló?

—El señor Martín Garrido, por favor...

—Con él.

—Lo llamamos de la congregación Hermanos de la Luz, su alma está perdida y queremos salvarlo.

—¿Con quién hablo? —pregunté. Jamás había conocido a alguien que quisiera salvarme, y menos que pudiera hacer un diagnóstico sobre el alma con oír dos frases por teléfono.

—Hablas con tu pastor —respondió una voz trémula, entrecortada.

—¿Cómo sabe mi teléfono?

—Porque me lo dijo... Dios..., que quiere rescatartejejejé... —risa, mucha risa, una carcajada archiconocida, casi asociada a las ocasiones en que estoy siendo víctima de una de sus bromas.

—Pollo malparido.

—¡Ja, ja, ja!, Marti, ¡caíste con una muy fácil!

—Es que estaba dormido... ¡Uy!, tuve un sueño rarísimo...

—¿Qué tal el apartamento?

—Bacano, estoy feliz.

—¿A qué hora te recoge Quico para comprar las cosas?

—A las once. ¿Qué horas son?

—Las diez y media.

—Me voy a bañar.

—Yo los acompaño, no tengo un culo que hacer hasta las cuatro. Pasen por mí.

—Listo, Pollo hijueputa.

—Hasta luego, hermano, ¡y que Dios te salve! —se despidió el Pollo, con la voz de mi pastor. Clic.

Quico me recogió, fuimos por el Pollo y me acompañaron a comprar unos cojines para la sala, una nevera y algo de mercado. Con lo que sobró de la plata que me había dado mi papá nos compramos una botella de whisky para celebrar en mi nuevo apartamento antes de irnos de rumba. Dejamos al Pollo en la universidad. Quico me llevó al edificio y me dijo que nos veríamos por la noche. Puse los cojines en la sala, organicé el mercado y me preparé un pedazo de carne con arroz y tajadas. A diferencia de mis amigos, que habían aprendido a cocinar cuando vinieron a Bogotá, yo tuve que hacerlo desde que estaba pequeño y no era problema ahora que iba a vivir solo.

Por la tarde vinieron a traerme la nevera. Jaime llamó para preguntarme en qué había quedado con los demás, y mi papá para averiguar cómo iban las cosas. A las cinco me fui a clase. Allí mis compañeros me avisaron lo que había pasado esa mañana que me había tomado libre para establecerme por completo.

El profesor explicaba algo sobre la estructura dramática mientras yo, ajeno a todo, miraba por la ventana del salón cómo el sol se iba agachando sobre el paisaje gris de la ciudad.

A las ocho y media llegaron el Pollo y Jaime; luego Quico, que, como era costumbre los viernes por la noche, ya venía con las hormonas alborotadas.

—Está bien bacano este lugar, Marti —dijo Jaime.

—Ahora tenés dónde comerte a las hembritas —remató Quico, haciéndonos cagar de la risa porque había utilizado uno de los parlamentos que mejor lo definen.

—Abramos esa botella —sugirió el Pollo.

Brindamos por mi nueva vida, por el levante de la noche y por los viejos tiempos en Cali, cuando no teníamos ni idea de que nos íbamos a venir a vivir acá. Aunque tuvimos que tomarnos el whisky al clima porque el hielo no estaba listo, le hice un homenaje a mi nevera con *Ice, Ice, Baby*, en la versión punkera que le dio por hacer a Vanilla Ice después de haber pasado por el rap con más pena que gloria. Cuando se acabó la botella, surgió la pregunta de rigor:

—¿Adónde vamos?

—Vamos adonde estén las nenas —dijo Quico como respondiéndose a sí mismo.

—Me importa un culo adónde vamos, mientras haya algo que tomar —contestó Jaime.

—Para Península —concluyó el Pollo dando por hecho que todos estábamos de acuerdo. El Pollo tiene voluntad de organizador y buen olfato para cuestiones de rumba, por eso no nos molesta que se tome atribuciones de director técnico, para ponerlo en términos futbolísticos.

Aterrizamos en los bares a las nueve de la noche, en el carro de Quico porque los demás somos peatones obligados, y nos metimos en medio del parsimonioso desfile de carros, en busca de un lugar para estacionarnos. Íbamos callados y ansiosos mirando hacia los andenes y hacia el interior de otros carros, cuando sentimos un olor que nos devolvió a nuestra condición de grupo y nos recordó que veníamos con Jaime.

—¡¿Qué putas es lo que estás haciendo?! —preguntó Quico mientras se apresuraba a cerrar su ventanilla al tiempo que los demás.

—Lo que ves: fumándome un Sierra Nevada Gold —dijo Jaime, tragándose las palabras, mientras levantaba un bareto cuyo tamaño oscilaba entre cigarrillo y puro cubano.

—¿Y tenías que fumártelo aquí, donde hay un tombo cada media cuadra?, ¿no se te ocurrió que era más fácil donde Martín? —gritaba y manoteaba Quico.

—Callate —intervine cuando vi a un policía mirándonos.

—Apagá esa mierda —dijo el Pollo.

—Si lo apago va a sospechar, mejor hagámonos los güevones —dijo Jaime con la mayor naturalidad.

El policía dudó, hizo el ademán de acercarse y se quedó allí, mirando hacia otro lado, tal vez por solidaridad de gremio (¿quién puede asegurar que ellos no se meten algo de vez en cuando?) o porque los baretos se rotan, son grupales, lo que en este caso no estaba sucediendo y nos libraba de sospechas.

El humo que no fue a parar a los pulmones de Jaime terminó revoloteando en el interior del carro y nuestra respiración se convirtió en un *círculo vicioso*, con todas las significaciones que podría tener el término. Tardamos media hora en parquear nuestro ecosistema yerbatero ambulante en un espacio vacío.

Después de pagar la entrada y someternos a la requisa de los orangutanes de turno, Península abrió sus puertas y se desplegó ante nosotros con toda la fuerza de sus decibeles. El *disc jockey* dominaba la pista desde un altar construido a base de aparejos electrónicos, tornamesas y ecualizadores de sonido. Una maraña humana bañada por interminables chorros de luz se contorsionaba al ritmo de la música, creando una jalea efervescente de pantalones brillantes, cuerina, peluche, cabezas de colores y revoloteo de brazos.

Atacamos la barra como perros hambrientos y luego de un par de rones con naranja estábamos en la masa de personas, bailando como si mañana no fueran a existir discotecas.

El arrullo frenético de los sintetizadores es canción de cuna para nosotros, huérfanos de todas las utopías, sabihondos a priori, solitarios empedernidos y promiscuos. Por eso sacudimos hasta el cansancio nuestras cabecitas drogadas, porque así nos olvidamos de que ya no tenemos nada que inventar, que toda la vida vamos a tener dieciocho años, que los sentimientos son cursis, que la explicación de todo no la tiene Dios, sino Freud y Lacan, que somos conformistas, que ahora no estamos obligados a explicarnos y por eso no nos entendemos. Por eso mismo me atraganté con todo el ron que me cupo en el cuerpo.

—Acabo de conseguirme una papeleta —dijo Jaime, agarrándome por el brazo—, ¿querés una raya?

—Vos sabés que no la voy con eso. Si estoy trabado es por las circunstancias —respondí, refiriéndome al episodio del carro.

—Bueno, ustedes se lo pierden.

Jaime tomó rumbo al baño mientras yo pedía el último trago que me pude pagar esa noche. Avancé tambaleándome hacia la pista y me hundí en el tumulto durante horas, hasta que el Pollo me agarró por la manga de la camiseta.

—Marica, estoy borracho. Jaime está vomitando en el baño y Quico está atacando a una vieja horrorosa. No doy más. Me voy a llevar a Jaime a la casa y me echo a dormir. ¿Venís con nosotros?

No me acuerdo qué le respondí. El caso es que no volví a verlos. Estaba nadando en alcohol, sin un peso y tropezándome con todo el mundo. Me paré en la mitad de la pista a mirar al jetón que ponía la música como pidiéndole explicaciones telepáticas. No hermano, yo solo pongo la música... Hola... Usted es un güevón que se quedó acá en vez de largarse con sus amigos... Yo soy Carolina... ¿Qué hace ahí parado mirándome con cara de autista?... Usted estudia en la U., yo lo he visto por ahí... Está borracho y no deja moverse a los que sí quieren bailar... ¿Se va a quedar allí parado mirando al *disc jockey* o me va a conversar?... Hable con esa vieja o quítese de en medio porque me está poniendo nervioso... ¿Cómo se llama?... Me da igual, esta mierda ya se va a acabar... ¿Para dónde se va a ir ahora que nos echen de aquí?...

Despertarse es una experiencia traumática por sí sola, pero si le añadimos el hecho de que haya una mujer desnuda a un lado, de la cual uno a duras penas intuye el nombre, que yo también esté desnudo y que el dolor de cabeza impida que me forme una idea inmediata de lo que pasó, despertarse es además una experiencia tan aterradora como encontrar una tarántula en la papilla del bebé.

–Casi no abre los ojos. Son las once.

–¿Carolina?

–La misma.

–¿Desayunamos?

Nos preparamos unos huevos con tocineta. Carolina tenía el pelo corto y despelucado, era flaca y tenía tetas chiquitas. Parecía una de esas mujeres que pinta Klimt.

–¿Qué es lo que estudiás? –le pregunté, por hacer algo de conversación y cortar un silencio incómodo que me estaba matando.

–Diseño industrial, aquí no más.

–¿En la Javeriana?

—Sí.

—Qué coincidencia, porque yo...

—Lo sé todo —interrumpió—. ¿No te acuerdas de lo que hablamos anoche?

—No —respondí apenado.

Terminamos el desayuno. Carolina me ayudó a ponerle algo de orden al apartamento y se despidió con un beso en la boca. Me metí en la ducha queriendo recordar, rastreando en mi cuerpo las huellas de la noche anterior. La tarde llegó despacio, como de mala gana, y me sumió en una serie de sentimientos contradictorios. Prendí el televisor y traté de concentrarme en una telenovela sosa hasta que me dominó el aburrimiento. Cuando quise dormir terminé revolcándome en las sábanas, el libro que venía leyendo me pareció insoportable, dejé casi intactos unos espaguetis que había cocinado porque cuando los iba a comer se me quitó el hambre.

Cuando sonó el teléfono sentí un vacío en el estómago. Una voz amanerada preguntó por un tal Alejandro Villabona; decidí seguir la corriente.

—El maestro Alejandro está en su hora de meditación y si lo interrumpo se le jode el mantra, pero le puedo decir que se comunique con usted cuando termine.

—Ah... Estamos llamando de Aerocorreos S. A. —respondió esa voz fingida—. Le tenemos un paquete desde hace tres meses y no hemos podido comunicarnos con él.

—Estábamos de gira por Guatemala y Belice —expliqué, mientras me tragaba las carcajadas—. Cuando se desocupe le digo que pase por allá.

—Muchas gracias —clic.

El tránsito hacia la noche fue casi triste, como la partida de un tren de vapor, y la oscuridad llegó arrastrando una carga de angustia.

Jaime y el Pollo viven en la Dieciocho con Tercera, cerca de Los Andes, que es donde uno estudia Historia y el otro Sicología, en un apartamento viejo y grande. El edificio no tiene portería y el intercomunicador está dañado, por eso toca deshacerse en alaridos y chiflidos hasta que uno de ellos se asoma por la ventana. El Pollo bajó a abrir la puerta en chancletas y sudadera del Deportivo Cali.

—Marica, ¿qué son estas horas de venir a joder un domingo?

—Comé mierda, es mediodía, *y vengo a salvar tu alma, hermano* —respondí. El Pollo se cagó de la risa.

—Entrá, pues...

El apartamento de Jaime y el Pollo no estaba mejor que el mío antes de la intervención de Carolina. Había una docena de discos regados en la sala y una pirámide de platos sucios en la cocina, además de un montón de libros apilados en una esquina del sofá, que me llamaron la atención porque daban aburrimiento de solo ver los títulos.

—*Sintaxis histórica del español*, de Rafael Lapesa, *Las jarchas romances de la serie árabe en su marco*, de Emilio García Gómez, *El diálogo de la lengua*... ¿Esto es de Jaime?

—Sí, para la tesis —respondió el Pollo con desinterés—. Bueno, ¿almorzamos?

Despertamos a Jaime y fuimos a una Surtidora de Aves.

—¿Y se puede saber qué te hiciste ayer y el viernes por la noche? —preguntó Jaime.

—Conocí a una nena y dormí con ella. No estoy seguro de lo que pasó porque tomé demasiado.

—¿No te acordás? —preguntó el Pollo.

—Ni mierda.

—¿Y qué tal estaba? —quiso saber Jaime.

—Como buena. No sé, es raro: ayer, después de que se fue, me quedé todo intranquilo. A lo mejor me hizo falta.

—Tenés depresión sexual amnésica —diagnosticó el Pollo.

—Eso no existe —protesté.

—Entonces no tenés de qué preocuparte —terció Jaime.

—¿Aló?

—Buenos días, le hablamos de Aerocorreos S. A. —era esa voz afeminada otra vez.

—Ah... ¿Cómo está?, habla con Martín Garrido, el ayudante del maestro Villabona.

—Es para recordarle lo del paquete...

—El maestro no está en este momento, hermano, pero yo le daré su razón apenas llegue —me apresuré a colgar porque estaban timbrando en la puerta.

—Bueno, muchas gracias.

—Que encuentre la luz en su sendero —clic.

Cuando abrí me encontré con el Pollo, cosa que no cuadraba en la lógica de los acontecimientos.

—¿Qué hacés aquí?

—¿Por qué? ¿Algún problema? —preguntó extrañado.

—¿Vos no sos el de Aerocorreos?

—¿Aero qué?

—Nada.

—Estaba consultando una joda en la biblioteca de la Javeriana y vine a saludarte.

—Seguí.

—¿Tenés plata que me prestés?

—Ni un peso.

Conversamos un rato echados en los cojines de la sala. Al final le conté que le había soltado un rollo místico a los manes de Aerocorreos creyendo que se trataba de él.

—Deberías ir a reclamar el paquete. A lo mejor es plata —respondió.

—Estás loco, Pollo.

—No, Marti, estoy vaciado.

Salimos juntos. El Pollo se despidió y se fue para su casa. En la portería me encontré a Mario concentrado en el Espaciograma.

—¿Presidente de los Estados Unidos que también fue actor?, de seis letras y termina en ene.

—*Rigan*.

—Debe ser otro.

—Se dice *Rigan*, pero se escribe *Reagan*.

—Ah… gracias.

—¿Usted sabe algo de Alejandro Villabona?

—¿Quién?

—Alejandro Villabona, el tipo que antes vivía en donde yo vivo ahora, en el cuatrocientos seis.

—Ni idea. Soy nuevo acá. Los porteros de este edificio los trasladaron a otro, por allá por la Clínica Marly. La empresa siempre nos está rotando —Mario volvió a ocuparse del crucigrama y dejó de prestarme atención.

Construí un diálogo imaginario para cuando nos encontráramos; lo revisé mentalmente todo el tiempo, añadiéndole palabras y quitándoselas cuando me parecían inapropiadas. En muchas ocasiones me descubrí musitando fragmentos de él mientras la buscaba en una cafetería de la universidad, alguna playita, la facultad de diseño y Península. Tracé un itinerario para cubrir horarios y lugares; así, en tres semanas agoté las posibilidades de toparme con ella en la universidad; además no hubo viernes ni sábado que faltara al punto exacto en que nos habíamos conocido, como si desplazarme un metro pudiera echar a perder el encuentro.

Llegué a verla de espaldas a mí, flaca, alta y despelucada; observaba el aviso de una campaña contra el cigarrillo. Me le planté enfrente, terminando una frase abstracta mientras descubría que no era ella y que todo encuentro es imprevisible, no admite libretos:

—Desapareciste desde que desayunamos —fue lo que atiné a decir, despertando en mi interlocutora el interés investigativo.

—¿Tú y yo desayunamos?

Me esfumé sin mediar disculpas ni explicaciones.

Se me empezó a olvidar su cara entre noches de juerga, exámenes, idas a cine y las llamadas de Aerocorreos para preguntar por Villabona. La espera naufragó en resignación, aunque no dejaba de pensar cómo habría sido todo si le hubiera pedido el teléfono antes de que se fuera.

Llegó cuando había roto mi itinerario y las motivaciones alcohólicas me guiaban hacia Península con más fuerza que la esperanza de encontrarla. Una tarde cenicienta, sin relieves, mientras perseguía con la mirada a una lagartija que trepaba por la pared del edificio vecino, sonó el citófono.

—De parte de la señorita Carolina —dijo Mario, muy solemne.

—Que pase.

—¿Planta trepadora, de la familia de las araliáceas, siempre verde? Seis letras y empieza por hache.

—Va a tener que llamar al Inderena, porque la única planta trepadora que conozco es la de los pies —clic.

Tenía unos pantalones de talle bajo con bolsillos a los lados de las rodillas y un saquito estrecho que tenía un estampado del Sagrado Corazón. La recordaba menos atractiva, quizá por mi guayabo de esa mañana, el de ella o el de ambos.

—¿Se puede saber en dónde te habías metido? —le reproché.

—No me acuerdo —contestó, muerta de risa.

Nos sentamos frente al ventanal de la sala, a ver cómo la oscuridad iba encendiendo lucecitas en Bogotá. El rumor de la ciudad, compuesto por pitos de carros, murmullos de motos pasando por la Circunvalar, retazos de canciones salidas de apartamentos vecinos y los goterones de un aguacero que las nubes habían reprimido durante días, nos acompañó mientras hicimos el amor una y otra vez, sin decir nada, atendiendo únicamente a la sintaxis de los cuerpos, a la geografía húmeda del sexo.

—¿No te dicen nada por quedarte a dormir acá?

—Mi papá y yo a duras penas nos hablamos. Mi mamá se murió hace un año y a él no le preocupa más que su negocio —respondió Carolina de mala gana. Me dio la impresión de que estaba a punto de llorar.

Se dio vuelta y me abrazó. La luz de la madrugada le tiñó de azul la espalda y un mechón rebelde se le vino a los ojos.

—Lo siento —dije.

Creo que no me escuchó. En ese momento acumulaba fuerzas para decirme que durante todo ese año había evitado encariñarse con alguien porque no soportaba perderlo.

—...Y aquí me tienes —continuó—, a pesar de que había decidido dejar las cosas como estaban, cagada de susto porque voy a querer verte mañana y pasado mañana y la próxima semana.

—Eso no es un problema.

—Claro que sí: todos los hombres, en el fondo, son unos desertores.

—No voy a desertar.

—Luego puedes echarlo todo a perder con promesas. Por ahora hay cosas más divertidas que hacer —concluyó.

Luego me besó las tetillas y empezó a descender lentamente hasta la ingle. En su boca se abrió una caverna jugosa donde resucitó mi verga perezosamente, como protestando porque había dado por cumplida su labor y no fuera justo reclamarle otra erección. Me encasqueté el último condón de un paquete que había comprado con más esperanzas que posibilidades de gastar, abrí sus piernas y me hundí en ella. Apoyé los codos y las rodillas en la colchoneta y fui aumentando el ritmo mientras le besaba las tetas, le mordía el cuello y las orejas, le chupaba los labios, metía mi lengua hasta el último recodo de su boca y lamía las goticas de sudor que le florecieron en la cara. Jadeamos como perros sedientos, gruñimos, mascullamos palabras deshilvanadas. Cuando todo mi cuerpo se engarrotaba en espera del final, Carolina me detuvo y se volteó, ofreciéndome el botoncito rosado de su culo. Sentí que atravesaba millones de pliegues de piel babosa, y bastaron pocas embestidas para que nos atacara al unísono la convulsión de un orgasmo.

Guardé silencio después, para no echar nada a perder.

Me convencí de que el Pollo no estaba tras las llamadas de Aerocorreos S. A. cuando descubrí sus oficinas listadas en el directorio telefónico. Marqué y contestó el maricón que había estado llamando con tanta insistencia.

—Aerocorreos S. A. ¿En qué puedo servirle?

—Hola hermano, que la virtud retoñe en su existencia —saludé, con el tono que había mantenido en cada llamada.

—¿El señor Alejandro Villabona?

—Habla su discípulo, Martín Garrido.

—¿Cuándo puede venir el señor Villabona por el paquete? —preguntó.

—Las golondrinas trinan en la primavera, las canas llegan con la vejez, el marino atraca al encontrar el puerto... Tenga paciencia, hermano, el maestro reclamará el paquete cuando su karma se lo indique.

—...

—Que encuentre la luz en su sendero —clic.

Había empezado a intrigarme la figura de Alejandro Villabona, a quien desde hacía tres meses no encontraban para entregarle un paquete, y del cual tenía el remitente mi teléfono como única referencia para ubicarlo. A veces pensaba que en el paquete estaba la clave para deshacer algún nudo de su existencia y que tal vez cuando lo recibiera ya sería demasiado tarde. Llené varios ratos de ocio imaginando situaciones difíciles para ese personaje que había inventado, del cual había adoptado su nombre, y que sufría por desconocer ese paquete. En el Villabona real pensaba menos: cuando me preguntaba por qué no había llamado o había venido al edificio a averiguar si le había llegado correspondencia.

A los pocos días se volvió más interesante el Villabona de carne y hueso, cuando le pregunté a doña Consuelo por él, aprovechando que nos vimos cara a cara el día que fui a entregarle el cheque por el segundo mes de arriendo. Con ojos abiertos y manos temblorosas cambió de tema bruscamente y se apresuró a despedirme. Salí de su casa pensando que descubrir la historia de Alejandro Villabona sería mejor que imaginármela.

Quien determinaría el primer paso de mi investigación estaba, para variar, estrujándose los parietales frente a un crucigrama.

–¿Apellido del actor que personificó a Rhett Butler en *Lo que el viento se llevó*? Cinco letras y tiene una ele.

–"Gable". Como suena y con be larga. Oiga, Mario, ¿se acuerda que usted me dijo que a los porteros que trabajaban antes aquí los trasladaron a un edificio por la Clínica Marly? Necesito saber qué edificio es.

–Ni idea... ¿Hijo de Agamenón y Clitemnestra, mató a su madre y al...?

Salí sin dejarlo terminar. No tenía tiempo para andar pensando en mitología.

Después de una buena caminata en la que visité Terrazas de Marly, Altos de Marly, Edificio Marly Real, Edificio Marly 59, Centro Odontológico Marly y cuatro más que estaban bautizados con el mismo *leitmotiv*, di con el portero indicado en el Edificio los Portales, el único que hacía la excepción, junto con La Talanquera y El Junco.

—Como le digo, jefe, ese Villabona era como haragán. Yo, la verdad nunca lo vi saliendo a trabajar. ¿Cómo dice? Ah, pues por ahí treinta y pico, pero tenía cara de culimbo, a veces uno le ponía veintitantos, cuando andaba de camiseta. Pero, como le digo, a usted le estoy contando lo mismo que le conté a los tombos cuando vinieron, que la única visita que recibía era la de la vieja esa del carro negro; un último modelo, yo de marcas no tengo ni idea, pero era lujoso, como de gente importante. La vieja era como señora, pero, eso sí, mamacita como ella sola; parecía de esas que salen en las revistas, pero con más años, pero, como le digo, se conservaba bien la hijuemadre.

"Déjeme ver, eso fue hace como cuatro meses larguitos. La vieja vino, como siempre, de gafas oscuras y sin saludar, y en vez de salir calladita como siempre, tuvieron un agarrón. ¿Y yo cómo voy a saber?, porque eso sí, uno está para abrir y cerrar la puerta pero no para andar chismosiando... Como le digo, esa vez salió toda acelerada; para mí que estaba chillando. A la semana siguiente la vieja no se apareció y don Alejandro anduvo todo callado, como echando cabeza. Hasta que un martes él salió a comprar algo a la tienda del frente y llegaron dos tipos en una camioneta roja y, ahí, al frente de la portería lo cogieron por la fuerza y se lo llevaron. Un par de gonorreas que tenían cara de matones. Don Alejandro quiso salir corriendo, pero ahí mismito lo agarraron a pata y lo subieron a la camioneta ¿Y yo qué iba a hacer?, si a nosotros la compañía nos dio este gas dizque para que defendamos el edificio. ¿Cómo iba a salir a atacarlos con este cagado ambientador? Si un tipo de esos saca un arma y lo mata a uno, se quedan mis hijos sin papá. Esa mierda del gas paralizante me la paso por las güevas, con perdón, pero, como le digo, no pude hacer nada.

"Los tipos resultaron lo más de aviones, porque uno chaparrito que andaba con ellos salió de la camioneta con una pistola y ni me miró, subió al apartamento de don Alejandro, estuvo un rato allá dentro y bajó todo emputado, se montaron a la camioneta y se largaron. Como le digo, yo creo que la vieja tuvo algo que ver porque no volvió a aparecerse por acá y era la única que lo visitaba.

"Cuando se fueron llamamos a la policía y, eso sí, llegaron como a la hora y media".

El relato del portero desplazó a las situaciones que había inventado porque, además de tener el encanto de ser lo que en realidad había ocurrido, debo confesar que me había quedado corto imaginando cosas como aprietos laborales, conflictos con una novia y la imposibilidad de realizar un viaje. Desde aquel día me invadieron las imágenes de ese rapto que no había presenciado pero que con los días fue ganando la veracidad de un recuerdo.

Villabona durmió en mi cuarto, cocinó en la misma estufa, usó la ducha con la que a diario me bañaba, seguramente se quejó del ascensor como lo hice yo cuando llegué, y hasta compraba leche en la tienda de enfrente (donde, por cierto, no supieron o no quisieron decirme nada de él). Sentía que mis acciones dentro del apartamento eran una réplica de las cosas que él hizo antes, desde preguntarme cómo debía acomodar mis trastos hasta mirar por la ventana; que eran el seguimiento de un patrón que había creado él con su forma de hacerlo todo. Entonces se convirtió en un fantasma, alguien que se fue de allí llevándose únicamente su cuerpo y dejando su alma. Sentí que su presencia cobijaba cada centímetro de pared, cada viruta de alfombra, cada baldosa, con el reclamo silencioso del espacio que no había dejado de pertenecerle y en el que yo era un intruso.

Pensé que contarle del asunto a Carolina era darle demasiada importancia, aunque no hallaba cómo explicarle que no quería estar un segundo en mi casa, que cuando hacíamos el amor me sentía observado y que de esa misma fuente brotaban mis pesadillas. Con el tiempo la situación empeoró: yo no me atrevía a explicar ni ella a preguntar, se abrieron silencios infinitos en nuestras conversaciones, el sexo se volvió rápido, desapasionado, mecánico, surgieron reproches neuróticos por pendejadas. Todo por culpa del inquilino anterior, alguien a quien mi curiosidad había invocado y que ahora se obstinaba en quedarse.

Mi vida se parecía cada vez más a una mala versión de *El inquilino*, de Polanski. Con el fantasma de Alejandro Villabona rondando por todo el apartamento, un fantasma haragán, que a veces aparentaba menos años de los que tenía, visitado frecuentemente por una mujer fatal entrada en años, raptado un martes en una camioneta roja y cuyo único rastro era un paquete en una oficina de correos. ¿Quién me mandaba a hurgar en asuntos que no me correspondían? ¿Por qué el repentino interés en un tipo que tal vez no lo merecía?

A los veinte años, la mayoría de ellos vividos a medias, con un puñado de recuerdos que no valdrían la pena en el momento de morir, una madre desertora, tres buenos amigos –porque no tenía otros y no me quedaba más opción que considerarlos buenos–, una medalla de natación en los nacionales del 92 y una nena que parecía pintada por Klimt, que renegaba de su papá porque no tenía tiempo más que para su negocio, había descubierto que otros tenían una vida más intensa que la mía. Quizá esa fuera la razón para andar tras las huellas del fantasma de Alejandro Villabona, porque viviendo la vida de otros me olvidaría de la mía y porque los fracasos ajenos me harían feliz por comparación; porque al final quizá me alegrara de seguir siendo lo que soy y que no me raptaran en camionetas rojas, y que los porteros no pensaran que soy un holgazán.

Carolina llamó y dijo que vendría a visitarme, pero desde hacía dos semanas las cosas no eran iguales. Mentí diciéndole que Quico vendría para acá y me fui caminando a su casa, porque no soportaba quedarme solo y porque hay momentos en los que un amigo ayuda más que un polvo, aunque Quico jamás estuviera de acuerdo conmigo.

Quico vive en La Soledad, cerca del Park Way, en un apartamento en el que a duras penas caben su mesa de dibujo y la cama. Se asomó por la ventana y me hizo un par de señas que no entendí; luego bajó en sudadera.

—Marica, me vas a tener que perdonar, pero en estos momentos estoy con una hembrita —estaba medio borracho porque no enfocaba bien y tenía un aliento que se sentía a kilómetros—. Estamos en los preliminares, vos entendés.

—...

—¿Y por qué diablos no se te ocurrió llamar antes de venir?

Mientras caminaba de vuelta a mi casa, atravesando el dédalo de calles oscuras y tristes que hacen honor al nombre del barrio, pensaba que Quico tenía razón, que quizá un polvo ayuda más que un amigo y que debí llamar antes.

Eran las dos de la mañana cuando Quico se presentó en mi apartamento. Se puso a caminar con nerviosismo por todo lado, pasándose la mano cada diez segundos por la cabeza, con una cara de empute que me hizo pensar que las cosas no le habían salido del todo bien.

—Marti, decime la verdad: alguna vez en tu vida, cuando has estado a punto de comerte una vieja, que tenés la picha como un riel y te estás cagando de la arrechera, ¿se te ha desinflado y has quedado como un imbécil, con esa mierda colgando como una corbata?

—Nunca.

—¡Jueputa!, es una mierda, te lo juro, una puta mierda. Después no hubo forma de que se me empinara otra vez. La vieja se quedó mirándome el chorizo y, no sé si fue paranoia o qué, pero me pareció que estaba riéndose... Una mierda.

—¿Una cerveza?

—Diez, cien, un millón. Hoy voy a beber hasta quedar jetiado.

Saqué las dos últimas Costeñas que quedaban en la nevera y puse *Manolito*, de los Toreros Muertos, como banda sonora para la ocasión. Quico se empezó a olvidar del problema a medida que le relataba mi historia sin omitir un detalle.

—¿Qué vas a hacer al respecto? —preguntó.

—Voy a investigar qué fue lo que pasó con Villabona.

—¿Y qué ganás tirándotelas de Sherlock? Yo de vos empezaría a buscar otro apartamento y listo, asunto arreglado —concluyó.

—El contrato se vence dentro de diez meses y no pienso convivir todo ese tiempo con un fantasma.

—Un fantasma que te inventaste vos.

Por segunda vez en la noche Quico tenía razón, pero al final, ¿cuáles son los fantasmas que uno mismo no se inventa?

—De todas maneras podés contar conmigo en lo que necesités, desde hoy me ofrezco para ser tu Watson —me dijo Quico mientras hurgaba en la nevera en busca de cervezas inexistentes.

—Yo, en cambio, no te pienso ayudar con tu problema, es una cuestión de principios —le contesté en tono burlón. Quico me miró con ganas de retirar su ofrecimiento, pero al fin abrió la jeta en una sonrisa, la primera y la última de esa noche.

—¿Te acordás del disfraz que te pusiste para la representación de final de año en el colegio?

—El de hare krishna.

—Ese. Necesito que me lo prestés.

El Pollo no se acordaba dónde estaba y ni siquiera sabía si lo había botado. Después de una búsqueda que no tendría nada que envidiar a un allanamiento, apareció el disfraz intacto. Mientras revoloteaba en su clóset, en cajas guardadas y maletines viejos, el Pollo fue esclareciendo las razones que me llevaron a pedirle algo tan raro, tan olvidado en nuestro pasado adolescente. Tras cuestionar los caminos poco ortodoxos que había tomado mi búsqueda de Villabona, procedió a evaluar la credibilidad que proyectaba mi figura envuelta en esos pañales curuba y el refuerzo que imprimían a mi atuendo la mochila y los colgandejos:

—Si querés que se vea real, te vas a tener que pelar la mollera.

—Ni por el putas. Me voy a poner un turbante.

—Los hare krishna no usan turbante, andan calvos.

—Este va a ser una mezcla entre un hare krishna y Kalimán.

Salí para mi casa.

Al octavo intento me descubrí poco hábil para la manufactura de turbantes. Llevaría el pelo largo en abierta contradicción con mis colegas krishna; además llegaría en taxi, a despecho de su costumbre de andar a pata. Si el maricón de Aerocorreos me pidiera una explicación, le diría que Alejandro Villabona era el líder de la contracorriente krishna, que comíamos carne de cerdo, sustituíamos el incienso por bareta, rendíamos culto al Pibe Valderrama y entonábamos canciones vallenatas en nuestro templo decorado con graffitis y portadas de fotonovela.

Llamé el taxi por teléfono, sospechando que no encontraría uno en la calle con semejante vestimenta. Mario, el portero del edificio, me miró como si yo fuera un extraterrestre y me estuviera subiendo en un ovni. El taxista, a su vez, manejó el taxi como si fuera un ovni, porque en diez minutos habíamos atravesado la ciudad y estábamos frente a la oficina de Aerocorreos S. A., en la Ciento Dieciséis. Sacarme la billetera de debajo de la túnica para pagarle al taxista me obligó a todo tipo de contorsiones.

La oficina parecía un banco pobre. Tenía tres escritorios en donde trabajaban con displicencia una gorda con un ojo vendado, un viejo encorvado que vestía un traje gris, y un tipo flaco, de unos treinta años, con pinta de bailarín, que ponía sellos como si estuviera aplastando insectos. Los tres me examinaron mientras yo me dirigía al bailarín: ese tenía que ser mi hombre, aunque no lo fuera en el sentido estricto de la palabra.

—Buenas tardes, hermano. Vengo de parte del maestro Alejandro Villabona —dije en mi mejor tono místico.

—Qué pena, no estamos autorizados para entregar correspondencia a terceros.

—No entiendo a qué se refiere con *terceros*. Yo soy la mano derecha del maestro, soy el segundo en nuestra comunidad —contesté.

—Solo le puedo entregar el paquete al señor Villabona.

—El maestro está ocupado en labores muy importantes, hermano. —Aquí llegaba el momento de vociferar—: ¡Porque usted no sabe que estas cosas banales no son menester del maestro, él se preocupa por velar por las almas descarriadas como ustedes, que en posteriores reencarnaciones pagarán desplantes como este! ¡Debe entender, hermano, que estoy aquí porque el maestro me ha enviado, yo soy Martín Garrido! ¡No proyecte sus karmas sobre mí...!

Después de quince minutos se me estaba acabando el discurso y a ellos la paciencia y las ganas de seguir discutiendo. Salí con una cajita del tamaño de una manzana que me quemaba las manos. Tres cuadras más adelante me despojé de mi indumentaria, envolví la cajita con ella y cogí un taxi. Esta vez el taxista tardó una hora en devolverme a mi apartamento.

Estaba en el límite de la emoción. ¿Qué putas podía contener la cajita? Por fuera tenía los datos del destinatario, es decir, Alejandro Villabona, y el teléfono, mi teléfono; como remitente, un nombre extranjero (¿hindú?, ¿francés?, ¿alemán?), Noel Leumás, y la dirección de un lugar en Barranquilla. La apertura del paquete era, para mí, todo un ritual; por eso puse a todo volumen *Final caja negra*, de Soda. Rompí la cinta con un cuchillo de la cocina y deshice la caja.

Ahí estaba la materialización de todas mis conjeturas; en un tarrito negro, sobre la mesa del comedor, entre girones de papel. Me lo acerqué a la oreja y lo moví, medí su peso en la mano, luego abrí la tapa convencido de que adentro iba a encontrar –como en efecto sucedió– un rollo fotográfico. Si mi vida era una versión pichurrienta de *El inquilino*, la de Villabona era una mala película de espías, de esas en las que persiguen a alguien porque tiene un microfilm.

¿Por qué habría de extrañarme semejante descubrimiento? Era más inesperado lo que había descubierto de mí: llegué a disfrazarme y a entonar cánticos místicos, solo para husmear en la intimidad de otra persona. En fin, mientras mi vida se enrarecía, la de mi personaje se volvía predecible: ahora ese pequeño cilindro de metal que sostenía entre los dedos, según me lo expresaba el número que resaltaba en su lomo, contenía veinticuatro veces la promesa de llevar, en el mejor de los casos, impresos los motivos que determinaron la suerte de Villabona, o por lo menos contener los rasgos que encajarían en el rostro cambiante de quien había imaginado. Pero no salí corriendo a revelarlo: también se trataba de veinticuatro imágenes desconocidas, impredecibles; escenas que serían difíciles de explicar a un desconocido de cualquier Foto Japón.

Durante el resto del día examiné el rollo queriendo provocar un milagro de la intuición, una corazonada irrebatible que me indicara qué hacer con él, pero no tuve ninguna certeza, a pesar, incluso, de haber oído *Polaroid de locura ordinaria* y *Pictures of you* como ayudas reflexivas.

Amanecí eufórico e incurable y pude encontrar resignación entre los trabajos y las clases de la universidad; al día siguiente, sin embargo, estuve merodeando por un par de estudios fotográficos y me fijé si los empleados le ponían atención al material. En los dos días que vinieron a continuación estuve a punto de hacerlo revelar y también de tirarlo a la basura. En mi mente, era como si todo el tiempo hubiese tratado de encontrarle un lugar donde no molestara, que se convirtiera en uno de esos objetos anónimos que hacen parte del fondo de algunas pinturas; pero el rollo nunca quiso desaparecer.

Una residencia estudiantil es una torre de babel en miniatura. En la residencia de doña Magola convivíamos caleños, costeños, paisas, llaneros, tolimenses y pastusos en relativa armonía, quebrada en ocasiones por uno que otro malentendido, o por esporádicas revueltas contra la autoridad. Había quienes pasaban toda su carrera en la residencia, otros se quedaban un semestre, y algunos, como yo, un poco más.

Doña Magola era una matrona que oscilaba entre la disciplina militar y la total alcahuetería. Había sobrevivido a dos matrimonios, el primero de ellos con un comerciante que ejercía la promiscuidad con una dedicación que hacía palidecer a los más agraciados donjuanes, el segundo con un dentista que la abandonó porque no podía tener hijos. Bordeaba los cincuenta años, tenía las huellas de una vida triste marcadas en su rostro y unos ojos azules acuosos, de los que se enorgullecía al recordar otros tiempos, amores frustrados y piropos que permanecían indelebles en su arsenal de motivos para seguir viviendo.

Uno de los cuatro compañeros de cuarto que tuve era barranquillero, Nicolás Rondón. Estudiaba música en la Nacional, pero le gustaban más el trago, la farra y las mujeres que los pentagramas.

Duró un semestre y medio antes de devolverse a Barranquilla a trabajar en el negocio de su papá y enrolarse en una orquesta de música tropical, Los Gavilanes. Desde el principio me cayó bien porque no roncaba, y además siempre estaba dispuesto a emparrandarse; no importaba el día ni la hora, no había Mozart o Beethoven que lo detuviera. Cuando se fue de la residencia, me dijo que me esperaba en Barranquilla y me dio su número de teléfono y la dirección de su casa. De vez en cuando me llamaba para saber cómo me iban las cosas y para reafirmar su invitación.

Lo llamé y le pedí que buscara en el directorio telefónico a Noel Leumás y a Alejandro Villabona. Leumás no existía, pero había dos Alejandros Villabona; me dijo que iría a investigar y que lo llamara después.

Cuando volví de la U. lo llamé y me dijo que uno de los Alejandros tenía 67 años y una hija autista; el otro era un cuarentón viudo que trabajaba en una fábrica de alimentos. La dirección desde donde mandaban el rollo de fotografías correspondía a una clínica veterinaria que estaba en construcción. Le agradecí y prometí ir a visitarlo para el carnaval, cosa que no iba a hacer nunca, dada mi escasez de dinero y lo poco que me animaba el plan.

Malas noticias. Ni rastro de ninguno de los dos, y para rematar, la dirección del extranjero (suponía que con semejante nombre no podía ser de acá) era falsa. Puse *Road to Nowhere*, que se ajustaba como un guante al momento por el que estaba pasando. Carolina llegó cuando David Byrne y sus colegas de Talking Heads amenazaban con tumbar las paredes y estallar los vidrios del edificio.

—¿Qué te pasa? —preguntó Carolina cuando me vio una cara que, supongo, era peor que la de Maradona cuando lo botaron del Mundial por dóping.

—Por culpa de un rollo de fotografías no he podido dormir.

—¿Y por qué no lo revelas?, así se te quita el insomnio y empiezas a preocuparte por otras cosas, como llamarme, por ejemplo —lo único que me faltaba era un reproche. Definitivamente ese no era mi día.

—Porque no lo puedo revelar en cualquier parte. Podrían ser unas fotografías, ¿cómo diríamos?, problemáticas.

—¡Haberlo dicho antes!, las revelamos en Fotoestudio Santallana. Ese es el estudio de mi papá.

Cuando uno se ha quebrado la pierna en la misma fecha durante dos años consecutivos, le ha dado apendicitis en la semana en que Los Fabulosos Cadillacs se presentaban en el estadio y ha estado retenido en una comisaría durante catorce horas, por ser homónimo de un violador de ancianitas, empieza a pensar que cualquier coincidencia es producto de la mala fortuna. Por eso no podía creer en lo que estaba oyendo: Carolina era hija del dueño de uno de los estudios fotográficos más famosos de Bogotá, donde las señoras más encopetadas de la ciudad iban a hacerse fotografiar porque "aunque es más caro, uno sale mejor de lo que es en realidad", creencia generalizada que había engordado los bolsillos de su papá.

Carolina llamó a su casa e inventó una patraña sobre unas fotos urgentes que debía revelar para la universidad, que tenía que entregar a primera hora, a riesgo de cagarse la materia si incumplía. Después de una discusión telefónica que me pareció interminable, fuimos por las llaves del estudio. Carolina vivía en una casa inmensa, que no conocí por dentro porque la esperé en su carro.

Llegamos a Fotoestudio Santallana, que quedaba cerca del Parque de las Flores, entre un almacén de muebles y una boutique femenina, a las diez y media de la noche; Carolina prendió las máquinas de revelado y nos metimos en el cuarto oscuro. Al cabo de una hora teníamos en nuestras manos dos copias de cada una de las veintidós fotografías que salieron.

—Marti, me vas a tener que explicar de dónde sacaste estas fotos ahora mismo —exigió Carolina.

Ana Lucía Patiño Sanders nació en 1952, en La Mesa, Cundina-marca. Era la menor de tres hermanos, dos de ellos varones, que se dedicaron a la ganadería y no pasaron de tercero de primaria. Cuando tenía diecisiete años fue reina de los carnavales de La Mesa, el mismo año en que terminó sus estudios de bachillerato. En el 70 se fue para Bogotá, adonde una tía solterona, y entró a estudiar Antropología en la Universidad Nacional. Era una época en la que los movimientos estudiantiles se hacían sentir con toda su fuerza; las universidades públicas estaban llenas de activistas, se estudiaba a Marx con devoción y se lanzaban con-signas todos los días. Antropología era una de las carreras más comprometidas.

Ana Lucía no entendía mucho de esos temas, no le interesaba la carrera; lo que ella había buscado, en un principio, era llegar a la capital para después encontrar alguna manera de entrar a trabajar en televisión. En el 72, Ana Lucía Patiño abandonó sus estudios en la Nacional y entró en la academia de modelaje de Florence Manchette, una francesa que había gozado de algunos años de gloria en su país natal y luego, con la llegada de la pata de gallina y la celulitis, pasó al olvido, sin más remedio que viajar a un país sudamericano donde el modelaje fuera un campo inexplorado, una oportunidad para hacer dinero. En menos de un año, Ana Lucía había salido en la portada de tres revistas importantes y tenía una carrera prometedora. A mediados del 73 hizo un pequeñísimo papel en una telenovela de la tarde, una ingenua adaptación de *Retrato de una dama*, ambientada en los tiempos de la Colonia española en el Reino de la Nueva Granada. Los realizadores de tv la tuvieron en cuenta inmediatamente. Tras un pequeño curso de actuación, entró a coprotagonizar, al lado de reconocidos actores, adaptaciones de Shakespeare en un espacio nocturno. Desde entonces utilizó únicamente su segundo apellido, convirtiéndose en Ana Lucía Sanders, primerísima vedette colombiana. Después de un publicitado matrimonio con un cantante venezolano en el 77, se retiró de las cámaras durante un tiempo, para retornar, luego de su divorcio en 1982, como modelo exclusiva de una línea de productos de belleza. Durante los ochenta protagonizó unas treinta telenovelas y uno que otro escándalo por sus romances con figuras públicas, políticos y grandes empresarios. A finales de esa década, las nuevas caras bonitas y la invasión de las telenovelas mexicanas y venezolanas convirtieron a Ana Lucía Sanders en una figura menor. Se retiró de la televisión en 1991 y se casó nuevamente, esta vez con un político, José Ignacio Torrado, quien no gozaba de buena reputación por algunas jugadas oscuras en los inicios de su carrera.

Esa fue la biografía que logré construir, apoyado en la lectura de las secciones de farándula de los periódicos y revistas que consulté en la Biblioteca Luis Ángel Arango, mientras mis compañeros asistían a tediosas clases de sociolingüística, de la protagonista de las veintidós fotografías que el tal Leumás había enviado al desaparecido Alejandro Villabona.

Con un cuerpo que haría parecer grotescas o insufientes las redondeces de muchas quinceañeras —tetas firmes coronadas por pezones como chupos de biberón, el abdomen plano, piernas interminables y un culo que si se tradujera en sonidos sería canto de sirenas—, la señora Sanders aparecía desnuda, en la que antes fue la habitación de Villabona, con fondo de botellas de tequila y un polvito blanco sobre la mesa de noche que no podía ser otra cosa que perico. Sonreía todo el tiempo, hacía muecas a la cámara, bizcos y coqueteos, con una cara que evidenciaba todo lo que había bebido y metido en una de las tantas misteriosas visitas que había hecho al apartamento 406.

Fui a encontrarme con Carolina, que desde la noche anterior estaba esperando una explicación.

Ana Lucía Sanders está en bola, en su mano tiene una botella de tequila, Quico está a su lado, desnudo también, mirándose el invertebrado, con sorna ante una erección moderada, poco consistente. La Sanders mira de reojo hacia la entrepierna de Quico, empiezan a comprimirse sus rasgos en el ahogo de una carcajada y decide voltear su rostro hacia la pared, justo a tiempo para descargar la risa a sus espaldas. Quico no se da cuenta porque está implorando a la carne blanda y empequeñecida por un poco de los atributos opuestos, pero todo apunta con fatalidad y molicie hacia el piso. La Sanders no puede continuar disimulando y se escurre en risotadas. Entonces Quico rompe a llorar como un niño y se ovilla en el regazo de la Sanders, que lo acuesta y le da a beber la botella de tequila como si fuera un biberón. El piso del apartamento es un gigantesco crucigrama que Mario trata de resolver, pero cada vez que encuentra una respuesta descubre que las preguntas han cambiado por completo; esto no parece incomodarle tanto como el Pollo, quien salta por la cuadrícula tratando de impedir su labor. Jaime está pasado de narcóticos y me confiesa que lo enloquecen más los libros que está leyendo para su tesis, "por eso prefiero las pepas", dice, y se traga una docena. Carolina está sacando libros de mi biblioteca y metiéndolos en la nevera "porque allí se conservan mejor". Se tropieza con un hare krishna que está bailando en un trance. Tres libros caen al suelo y huyen acobardados; uno se mete bajo la colchoneta, otro se esconde en el horno y muere achicharrado, el tercero prefiere suicidarse tirándose por la ventana; el libro que está bajo la colchoneta asoma un pedacito del lomo, verifica que Carolina se haya ido y regresa a la biblioteca. Trato de llegar al baño, pero el hare krishna se interpone agitando sus cascabeles. No consigo rodearlo porque su baile siempre conduce hacia los rincones por los que trato de pasar, entonces me detengo junto a Mario. El Pollo sigue haciendo más dura la resolución del crucigrama, ahora con una parodia de los movimientos del krishna. Mario se rasca la cabeza, no acaba de entender por qué resulta tan difícil poner aunque sea una letra. Al fondo, Ana Lucía Sanders vomita un chorro de hormigas encima de Quico; Carolina se asoma a la ventana y grita al descubrir el cadáver del libro suicida. Alguien me toca la espalda; es Jaime, quiere que convenza al hare krishna de que no agite los cascabeles que antes no había percibido y que de repente suenan estruendosamente, hasta casi hacerme sangrar los oídos; un resplandor se traga todo menos el ruido. Está sonando el teléfono.

–...¿Aló?
–Le habla Alejandro Villabona.
–¡¿Sí?!
–Usted tiene algo que es mío.
–¿Las fotos?
–Ah, entonces eran unas fotos... ¿Qué más Martincillo?
–Pollo hijueputa.
–¿Fotos de qué?
–No te imaginás... Ana Lucía Sanders en pelota.

—¡¿En serio?! Vamos a extorsionarla.

—¿Vos sos güevón? ¿No ves que esa vieja está casada con José Ignacio Torrado?

—¿Torrado el político?

—El mismo, apuesto que ese man está detrás de todo eso. Y ya se cargaron a uno.

—¿Entonces qué vas a hacer?

—Ir al baño, despertarme del todo y largarme a clase.

—Buena idea, eso sí que le daría una lección a Torrado.

—Chao, Pollo malparido.

—Chao —clic.

La estación de policía de la Cuarenta era tan acogedora como un edificio en llamas. Tenía la arquitectura de un colegio de pueblo, con muros largos de ladrillo y una fachada plana con pequeñas ventanas distribuidas en forma simétrica. A un lado de la puerta principal, tres astas para izar banderas. En el interior, la iluminación de bombillas sucias reverberaba en un suelo de baldosas cuadradas que se extendía por un vestíbulo tétrico, con una oficina a la derecha en la que había dos tombos atendiendo los denuncios de pérdida de documentos. Les pregunté si había un despacho donde uno pudiera averiguar por los casos que estuvieran investigando. Uno de ellos levantó un teléfono y marcó cuatro teclas, habló con alguien, me miró un par de veces, asintió, me indicó que subiera las escaleras que estaban al fondo y entrara en la tercera puerta a la izquierda.

Llegué a una oficina alargada en la que había dos escritorios consecutivos, como una mesa de bufet; en uno de ellos, una mujer policía poco sensual tecleaba frente a la pantalla de su computador. Me entregó un formulario en el que debía escribir mis datos, pero había decidido que no tenía ni la fuerza ni la experiencia ni las güevas para meterme en un asunto que involucraba a una actriz famosa, esposa de un senador, tres matones y un desaparecido que probablemente ya estaba muerto. Todo me pareció un error; quise salir inmediatamente de ahí.

—¿Y si uno ya no quiere preguntar?

—¿Por qué? —dijo, extrañada.

—Pues porque se arrepiente... ¿Por qué más?

Me puse tan nervioso que generé un torrente de sospechas. Ella salió de la oficina recomendándome que la esperara y en seguida volvió con otro policía, un negro de piernas largas y mirada de gato que revisó mi formulario y luego me preguntó en qué caso estaba interesado.

—Alejandro Villabona —confesé, intimidado.

Ábrete sésamo: me condujeron a la oficina del mayor Eduardo Palomino, máxima autoridad de la estación y encargado del caso. El único objeto decorativo que encontré allí era un pisapapeles en forma de pirámide; el resto de lo que había en ese cuarto era un escritorio grande, con dos sillas rojas para recibir las visitas, y el Mayor sentado del otro lado, fumando un cigarrillo y alisándose el bigote alternativamente con ambas manos. A sus espaldas se veían pasar los carros a través de una ventana cuadrada. El Mayor me invitó a sentarme, me ofreció un cigarrillo que rechacé y me preguntó por qué estaba interesado en el asunto de Villabona.

—Por curiosidad.

Creo que a Palomino no le gustó mi respuesta.

—¿Sabe qué es peor que eso?, la curiosidad de la policía. Y usted nos genera toneladas.

Lamenté haber ido allá para terminar sintiéndome acorralado, supuse que iba a tener que contárselo todo y hasta pensé que en el fondo era lo que quería hacer, pues llevaba las fotos en el bolsillo de mi chaqueta. De todas maneras, en la versión que le di al mayor Palomino cambié la parte del disfraz de hare krishna y la del revelado en Fotoestudio Santallana por "me llegó a la casa un paquete de fotografías, es decir, a Alejandro Villabona, el inquilino de antes"; tampoco mencioné a Leumás. Al finalizar mi relato, saqué el sobre y lo deslicé hasta el otro lado del escritorio. Palomino lo abrió. Por lo desorbitado de sus ojos, se diría que había sufrido una erección óptica; y por el detenimiento con el que revisó cada fotografía, que tenía una de las tradicionales. Luego, guardó el sobre en un cajón del escritorio.

—¿Estas son todas las copias que tenía en su poder?

—Todas —mentí. Aún tenía en mi poder otras veintidós fotografías idénticas; las guardaría como recordatorio de mi corta carrera de detective.

—¿Y los negativos?

—Le estoy entregando el paquete tal como lo recibí —mentí de nuevo.

Los ojos de Palomino me escrutaban minuciosamente, como buscando un signo de que no hubiera dicho todo lo que sabía. Se me durmieron las piernas.

—¿Alguien más sabe de la existencia de estas fotos?

—Ana Lucía Sanders, supongo —Carolina y mis amigos también, pero eso no le interesaba al mayor Palomino.

—Le voy a dar un consejo, señor...

—Garrido.

—Es mejor que se olvide de esto, usted está muy joven para andar revolviendo las cosas. Váyase para su casa y continúe su vida normal. Usted nunca recibió ninguna foto, no sabe nada de Alejandro Villabona y nunca vino hasta acá. Torrado es un senador muy influyente, usted no quiere meterse en un lío y yo tampoco... Así que dejemos las cosas como están.

Parecía la decisión más sensata. Ninguno de los dos quería meterse en problemas. Palomino se jubilaría con la conciencia un poco manchada; yo tendría que aguantarme durante un año la presencia incorpórea de Villabona a cambio de mi seguridad personal, un sacrificio pequeño si tenemos en cuenta lo que le pasó a Villabona. Lo único que me dolía era que, una vez más, se apoderaba de mí esa incómoda sensación de estupidez, de esfuerzos pendejos, de tiempo malgastado en maricadas.

SEGUNDA PARTE

Llegué a mi casa pensando que el ejercicio de la amnesia devolvería a mi vida la tranquilidad de los pequeños ritos, insignificantes en apariencia, que conformaban el ritmo de mis días, la silenciosa cadencia que nos mantiene a salvo de los precipicios y las pesadillas.

Pero el olvido es algo que se encuentra en los abismos del alma humana, en los cuales la voluntad no tiene cabida. Había pasado tardes enteras pensando en Villabona, intuyendo su apariencia física y buscando parecidos en las personas que veía en las calles, reconstruyendo su vida a partir de fragmentos y dejando los espacios vacíos al capricho de la imaginación; no podía olvidar. Me acerqué a la grabadora, buscando la canción perfecta en el vademécum musical que componen mis discos, y me decidí por *El jardín donde vuelan los mares*, de Fito Páez.

Sentado frente al ventanal de la sala, mientras el sol se zambullía en un atardecer rojizo, tarareaba "Yo sé que pudiste conocerme mejor / yo sé qué pensaste, fue una extraña decepción / no lo hagas, no lo hagas...". Fue entonces cuando me paré, caminé hasta la ventana y descubrí, frente al edificio, en el andén opuesto, una camioneta roja con tres personas dentro. Sentí el miedo subir por la espina dorsal y extenderse por todo mi cuerpo. Descolgué el citófono, llamé a Mario y supe que veinte minutos antes había venido un tipo y había preguntado por mí; luego había mostrado su identificación de policía y preguntado si yo había recibido algún paquete por correo, Mario le dijo que no y el tipo le dijo que vendría después. Le pregunté por la camioneta y él respondió que no se había dado cuenta de que estuviera allí, quizá por algún problema con las horizontales o las verticales del crucigrama que estaba resolviendo cuando entré.

Después de unos minutos en los que el miedo me paralizó, pensé que a lo mejor se les acabaría la paciencia y entrarían a buscarme, por eso debía hacer algo antes. Metí las copias de las fotografías y los negativos en mi chaqueta, apagué la grabadora y llamé a Quico; le dije que me esperara lo más cerca posible de la portería, con el carro listo para arrancar y la puerta del copiloto sin seguro. Luego entré en la cocina, saqué un par de cuchillos, los únicos que tenía, y me los guardé en el bolsillo trasero del pantalón; no me iba a dejar agarrar tan fácil. Vi llegar a Quico por una esquina de la ventana y pensé que su Renault 12 destartalado era incapaz frente a los 5.000 centímetros cúbicos, las ocho válvulas y los 180 kilómetros por hora que desarrolla una Ford F-150 XL. Sabía que tenía que hacer algo que nos diera oportunidad de ganar ventaja, pero solo se me ocurrió cuando un irracional mecanismo de causas y consecuencias me hizo posar los ojos en un asiento.

Bajé las escaleras de dos en dos, llevando el asiento de mi escritorio a cuestas, atravesé la puerta del edificio corriendo, lo arrojé frente a la camioneta y me subí al carro. Quico arrancó con un chirrido de llantas, sin esperar a que yo cerrara bien la puerta y me acomodara en el sitio del copiloto. La camioneta arrastró aparatosamente el asiento en su persecución, mientras nosotros dábamos vuelta a la esquina con un par de cuadras de ventaja.

—¡Nos van a matar, marica! —gritaba Quico, aterrado.

—¡Vos te ofreciste, acordate! —vociferaba yo, mirando hacia atrás, con la esperanza de que no nos alcanzaran.

Bajamos por la Cuarenta y Cinco y nos metimos en las calles de La Soledad a todo lo que daba el pobre Renault. Llegamos adonde Quico sin rastro de la camioneta, atrapada sin duda en el caos del tráfico de las seis de la tarde. Guardamos el carro en el garaje y entramos a su apartamento.

—Esto me pasa por ponerme de güevón a alcahuetiarte los delirios de detective —renegaba mi amigo.

Yo, mientras tanto, trataba de conservar la última gota de lucidez, antes de ponerme a gritar. Cogí el teléfono, llamé a la estación de policía de la Cuarenta y pedí comunicación con el mayor Palomino.

—¿Aló?

—¡Me están persiguiendo por su culpa! ¡Nadie más sabía, usted les dijo!

—Garrido, cálmese, dígame dónde está y le mando protección policial inmediatamente —contestó Palomino con el mayor cinismo.

—Ya me imagino la clase de protección policial, tramposo de mierda —clic.

Le conté a Quico, mi Watson improvisado, el resto de la historia.

—No me vas a negar una cosa, güevón: la Sanders está buenísima —anotó mientras revisaba una y otra vez cada fotografía.

—¿Hasta cuándo pensás esconderte? Es mejor que hagás algo antes de que te encuentren.

—No te preocupés, hoy va a ser el fin de todo este lío. Me voy a una revista, cuento mi historia y les doy las fotos.

Había pasado una semana en donde Quico, sin ir a mi apartamento ni a la universidad, sin salir siquiera a comprar el pan, con delirios de persecución que me despertaban a medianoche, durmiendo con los cuchillos que saqué de mi casa el día de la huida debajo de la almohada. Quico había empezado a dudar de mi cordura y la noche anterior me confesó que temía que se me estallaran las pepas y lo degollara en un rapto de desconfianza enfermiza. Por eso pensé que su pregunta era más bien una imposición.

Tomé un bus en la Cuarenta y Cinco, que me llevó hasta la carrera Séptima. Ahí me monté en otro, rumbo hacia el norte. Estaba a quince minutos de liberarme, por eso sonreía maliciosamente mientras acariciaba el sobre que llevaba en el bolsillo derecho de mi chaqueta.

Después de caminar el par de cuadras que separaban la sede de Cromos del paradero, me encontré frente a la recepción, en donde expliqué superficialmente a una secretaria que quería hablar con un periodista acerca de un asunto que podría interesarle. Al rato salió un tipo joven y me dijo que debía esperar en la recepción unos veinte minutos porque estaba a punto de llegar una celebridad para una entrevista.

Tuve que contener las arcadas cuando entró una mujer vestida de negro de pies a cabeza, simbiosis perversa de Marlene Dietrich y un animal nocturno cuyos ojos rabiosos brillan en la oscuridad. Me levanté de la silla y caminé hacia la salida con la mayor naturalidad que pude atesorar. Desde la puerta vi a los tres gorilas jugando cartas sobre la camioneta roja. Hasta entonces sus rostros eran un espacio indefinido en el que mi imaginación dibujaba caprichosamente: tuvieron las caras de un profesor de química, uno de matemáticas y otro de dibujo técnico que amargaron mis años escolares; fueron diferentes versiones de la cara de mi tío Luis, que es pastor bautista y se ha obstinado en convertirme; fueron adaptaciones gángster de los integrantes de Linear, que perpetraron *Sending all my Love* para hacerme enfurecer. Ahora se fijaban en mi memoria de una vez y para siempre: el pequeño, sin duda el más feo, debía medir 1,60, tenía pelo esponjoso y nariz ganchuda; había otro mofletudo de barbas que tenía una rana tatuada en el cuello; y el tercero era flaco, encorvado y bigotón.

Entré de nuevo y me senté; las manos me temblaban y debía estar más pálido que un esquimal.

—¿Está bien? —me preguntó Ana Lucía Sanders en un tono que jamás haría sospechar las cosas que yo sabía de ella—, parece enfermo.

—Yo sé lo que pasó entre usted y Alejandro Villabona, y lo que le hicieron ese trío de hijueputas que tiene allá fuera.

Hay momentos como este, en los que la Prudencia es esquiva para mí, y aunque casi nunca me sonríe la Fortuna, la Buena Suerte, esa deidad menor a la que últimamente le debía permanecer con vida, vino una vez más en mi ayuda: Ana Lucía Sanders no salió en busca de sus matones; en cambio, se puso igual de pálida que yo, me miró como si estuviera frente al mismísimo Villabona y dijo que me esperaba en el baño de mujeres. Acto seguido, se levantó y fue trastabillando hacia allá. Dudé un momento, pero era ella o el personal de la camioneta. Caminé hasta los baños pensando que a Ulises le fue más fácil llegar hasta Ítaca que a mí recorrer esos pocos metros, entrar y echar seguro a la puerta.

La Sanders que encontré en el baño se parecía tanto a la de antes como Stephen Hawking a Bruce Lee en *Furia del Dragón*. Habría sido una victoria estética al estilo Bogart si le hubiera prestado mi pañuelo para que se secara las lágrimas, pero con una facha como la mía, sin pañuelo y con unos nervios que me iban a hacer mear en los pantalones, conseguí a duras penas mantenerme en pie frente a ella.

—¡¿Quién es usted?, ¿qué quiere?!

Eran demasiadas preguntas al tiempo y para ninguna tenía una buena respuesta; entonces aventuré un "¡Cállese!", con estrujón incluido. La Sanders se olvidó de reclamar mi identidad y mis intenciones, entonces continué:

—¿Quién está detrás?, ¿su esposo?

Asintió cabizbaja. Saqué una de las fotos del bolsillo de mi chaqueta y la puse encima de uno de los lavamanos.

—Lo mataron por la sesión fotográfica con usted.

—Cuando mi esposo se dio cuenta de Alejandro, se puso como loco —en este punto, la Sanders se descubrió un hombro del vestido que llevaba, dejando ver cicatrices hechas con un cuchillo—. Esos tres me torturaron hasta que lo dije todo, hasta les conté que Alejandro me tomó una vez esas fotos —señaló la imagen de sí misma en bola haciéndole ojitos al lente, que reposaba sobre el lavamanos.

Hubo un momento de silencio en el que seguramente estaba pensando: "¿Y este güevón qué pitos toca en esta historia?". Abrió la boca como para preguntar, pero yo desenfundé primero:

—Entonces el señor Torrado, su marido —recalqué esto último a la manera de Guillermo Capetillo en *Los cuervos*, en retribución al ademán telenovelesco del inicio de nuestra conversación—, lo mandó matar. El tipo que entró a buscar sus fotos no la estaba protegiendo a usted, estaba tratando de acabar con cualquier evidencia que conectara a Torrado con el asesinato. Aunque era un trabajo fácil, no estaba de más sobornar al encargado de la investigación, el mayor Palomino.

—Eduardo Palomino tiene negocios con mi marido.

—¿Qué clase de negocios?

—¿Quién es usted? ¿Qué tiene que ver en todo esto? —al fin, la pregunta que había conseguido aplazar. Ana Lucía Sanders se había repuesto del golpe. Ahora me tocaba a mí.

—Martín Garrido, en la historia soy el sapo que sabe más de la cuenta y lo quieren callar.

—¿Vino hasta acá para que publicaran mis fotos? —había una tonelada de indignación en su voz.

—Sí —admití con vergüenza—. Pero no lo estoy haciendo por plata, es porque su marido, el mayor Palomino y los que están allá fuera jugando cartas están buscándome para...

—Matarlo —concluyó—. Así arreglan todo esos desgraciados. Un día de estos me van a matar a mí.

Descubrir que Ana Lucía Sanders estaba en el bando de las víctimas, junto con Villabona y conmigo, me hizo sentir tan mal que traté de explicarle:

—Yo pensé que usted había ordenado la desaparición de Villabona.

—Alejandro era la persona que más quería. Una semana antes habíamos discutido porque yo le propuse que nos fuéramos a vivir juntos y él se negó...

—¿Por qué?

—A Alejandro le importaban un chorizo los demás, era como si estuviera enamorado de él mismo, pero era cien veces mejor que José Ignacio y yo pensé que me quería porque es lo más cercano al amor que he tenido —logró conmoverme, lo admito. El maquillaje se le había escurrido por toda la cara.

Ahora la Sanders era la condensación más grande de tristeza que hubiera encarnado en ser humano alguna vez. Empequeñecida, desgastada su imagen de vedette en un baño público, mientras se confesaba con un extraño que tal vez se había rendido a sentimientos más lejanos del amor que la había llevado a los brazos de un vividor desaparecido. Un extraño que no podía entender lo que encerraba ese sentimiento, al que guiaban propósitos menos nobles: exiliar a un fantasma de su territorio y evitar que lo mataran. Saqué el sobre con las fotos y se lo entregué. Ella lo tomó sin muestras de agradecimiento: estaba recibiendo algo que le pertenecía, que retornaba a sus manos. Metió la foto que estaba sobre el lavamananos dentro y lo guardó en su bolso.

—Me voy, están esperándome en la sala de redacción —dijo, mientras se echaba agua en la cara y deshacía los surcos opacos de las lágrimas. Luego preguntó—: ¿Usted era amigo de Alejandro?

—Bueno... sí... aunque no lo conocí muy bien.

—Era bueno, a su manera, pero era bueno. —Después, en tono de camaradería, agregó—: Vaya mañana por la noche al café El Polo, en la calle Dieciséis, y pregunte al encargado por Santiago.

—Eh... ¡Espere!

—...

—¿Conoce a Noel Leumás?

—No, ¿por qué?

—Por nada.

Ana Lucía Sanders salió del baño como se desvanece un espejismo.

De repente esa sensación de telenovela-al-aire me hizo pensar que la Sanders había interpretado un papel más, una función privada como la última que tuvo con Villabona. Ahora que le había entregado mi único seguro de vida entrarían los malos a buscarme. Sintiéndome más imbécil que asustado, me encerré en uno de los cubículos de los retretes durante una hora en la que solo escuché mi respiración y un par de meadas femeninas.

De pronto, los carros tuvieron poderosas mandíbulas con las que masticaban a quienes cruzaban la calle. Las aceras comenzaron a volverse amenazadoramente estrechas. Había tramos en que eran tan angostas que podía sentir los rugidos de los carros hambrientos tratando de devorarme. Penachos de humo salían de las alcantarillas destapadas y teñían el cielo de un color sangriento. Del asfalto brotaban manos que trataban de agarrar mis tobillos. No sabía la dirección en la que estaba caminando. Ni siquiera sabía si lo estaba haciendo.

Goterones de sudor maloliente resbalaban por mi cara. Tenía fiebre. Se me revolvió el estómago y sentía deshielos en el vientre, como si todos mis órganos se estuvieran disolviendo. Me estaba asfixiando, el aire se me desviaba en algún lugar entre la nariz y los pulmones. Me aferraba a los retazos de ciudad que creía reconocer, para seguir avanzando hacia ningún lado.

Es el miedo, Martín Garrido, el miedo que te ha acompañado en silencio desde que la curiosidad se te convirtió en obsesión y la cagaste como solo vos sabés cagarla. Porque podés ser macho delante de una actriz desorientada y periquera, parecer un putas delante de los cabrones de las mudanzas, pero no podés esconderte el miedo a vos mismo. Estás asustado, asustado, se te entumece el culo cada vez que sentís la muerte cerca y estás jugando al macho pero estás cagado del susto porque te van a matar tevan a matar tevana matar tevanamatar...

Un cambio en la luminosidad de las cosas me indicó que ya era de noche.

Llegué a un sitio que creí reconocer, acosado por perseguidores invisibles, obligando a mis piernas a mantenerme en pie, al tiempo que la luz intensa de los faros de un carro que identifiqué como la Ford roja iluminaban mi cara. Se apoderó de mí la angustia ciega de quien defiende su pellejo hasta el segundo antes de que una bala perfore sus sesos, me di vuelta y eché a correr. Tres zancadas después retumbó mi cabeza contra el asfalto. Traté de levantarme, pero me arrastraba patéticamente hasta que todo fue silencio.

Un cuarto en penumbra, frente a una sombra que iba adoptando formas comprensibles, ruidos que tenían una cadencia que traslucía palabras, dolor de cabeza. Me incorporé sobre una superficie mullida mientras todo iba cobrando sentido.

—¿Estoy muerto?

—No, pero casi te mueres de la fiebre. Llegué a mi casa y te vi caminando hacia la puerta. De pronto empezaste a correr, te caíste y te desmayaste. Estelita, la empleada, el vigilante de la cuadra y yo te llevamos adentro y dormiste hasta esta hora —era Carolina. Me puso la mano sobre la frente y dijo—: A ratos te despertabas y rogabas que no te matáramos. El vecino, que es médico, te atendió y ya estás bien. Dice que fue una crisis nerviosa.

—¿Qué hora es?

—Las once.

—¿Y tu papá?

—Está en Medellín, vuelve mañana... Marti, no sé en qué te has metido, pero debe ser muy feo y me preocupa. ¿Tiene que ver con las fotos?

—Sí.

—Deberías dejárselo a la Policía.

—La Policía no me quiere ayudar, está de parte de los malos.

Carolina no respondió. Fabriqué una sonrisa de esas que compensan los silencios incómodos, que pasó inadvertida porque ella estaba mirando hacia algún punto en la pared. Busqué su mano a tientas, pero la retiró antes de que pudiera cogerla.

—Yo sé que no es el momento de hacer pataleta, pero llevo días sin verte, Marti. Tus problemas serán muy graves, pero eso no te da derecho a desaparecerte así.

—Estaba escondido donde Quico.

—Aunque te vayas a Malasia, eso no quita que no me hayas llamado. Todas las noches corrí al teléfono cada vez que timbraba, te busqué en la universidad, fui a tu casa varias veces, te dejé notas en la portería.

—Es mejor que no vayas a buscarme, es más seguro.

Otro silencio. Esta vez era como si todo lo que producía ruido en el universo se hubiera callado durante un segundo.

—Si no quieres que nos sigamos viendo, me lo dices. Yo sé entender y además tú no eres el único tipo que existe —Carolina me hablaba como si yo fuera el más idiota de todos los idiotas que hubiera podido conocer—. Tampoco tienes que inventar historias de policías y ladrones para que revele las fotos de tus amantes del jet-set.

—¿Queeé?

—Le tomas fotos a esa vieja en tu apartamento después de una juerga, luego te levantas a una pendeja en una discoteca, le echas un par de polvos, haces que te revele el rollo y te pierdes; cuando el maridito de la Sanders se la pilla, entonces vienes a que la pendeja te atienda la crisis nerviosa —su odio me llegaba como un ventarrón—. ¡Se acabó! ¡Si estás aquí es porque no habría podido dejarte tirado en la calle, pero lo que te pase de ahora en adelante me importa un culo! Te vas de mi casa y no quiero volver a verte, no quiero seguir oyendo mentiras.

Estaba atolondrado. Tenía suficiente dolor de cabeza para impedirme tratar de convencerla, y además mi historia era menos lógica que la que ella se había imaginado. Veredicto: culpable, sin posibilidad de apelar y condenado al destierro.

Busqué mis zapatos debajo de la cama y me largué pensando que no haberla llamado entraba en mi lista de cagadas memorables.

Pensaba que no deberían molestarse en perseguirme, pues podía morir de depresión en cualquier momento. "Jefe, Garrido tuvo una crisis nerviosa que lo dejó moribundo, y el mismo día tuvo otra crisis, esta vez depresiva, que lo mató mientras viajaba en una buseta", me imaginaba al chiquitín dando la noticia a José Ignacio Torrado, que se iba a cagar de la risa. Y se iban a olvidar de mí, que sobreviví a tres sicarios, un jefe de policía y un político torcidos para venir a morir de tristeza en una buseta desvencijada, con la ropa de Quico y un chichón en la cabeza, porque la vida no es justa para tipos como yo, o como Villabona, que encontró la muerte cuando salía a comprar leche a la tienda.

Michael Hutchence se ahorcó con un cinturón mientras se masturbaba, Isadora Duncan murió estrangulada cuando su bufanda se enredó en la rueda del carro en que viajaba, Tennessee Williams murió asfixiado cuando se tragó la tapa del frasco de gotas para los ojos que se estaba echando, la cual había removido y sostenía entre los dientes. Pero personalidades como esas son resistentes a las muertes más pendejas: se puede morir de gripa o de gingivitis, disfrazado de payaso, con una bola de tenis en el culo, ahorcado mientras se hace el nudo de la corbata o desangrada tratando de ponerse un tampax, no importa. Es diferente cuando se es un don nadie, cuando no se ha llevado una vida a prueba de muertes pendejas, porque entonces todos te van a juzgar por la muerte que tuviste, y de ese acontecimiento otros van a inferir lo imbécil, desdichado o infeliz que fuiste sin molestarse en comprobarlo. Si no supiéramos que esas muertes pertenecen a Michael Hutchence, Isadora Duncan y Tennessee Williams, lo primero que se nos ocurre pensar es que pertenecen a un cantante de música cristiana, una bailarina de *strip-tease* y un escritor de fotonovelas.

Venía pensando en todo eso cuando me bajé en la Diecinueve. Faltaban cuatro minutos para la medianoche y yo caminaba apresuradamente en medio de matones, jíbaros, ladrones e indigentes, como un huevo rodando entre patas de elefantes. Ahora yo, Martín Garrido, sobreviviente de tres sicarios, un mayor de policía, un senador corrupto, una crisis nerviosa y otra depresiva, iba a morir a manos de un carterista barato.

—¿Qué está buscando, pelao? —me preguntó un tipo nada amigable mientras se acercaba desde un rincón oscuro del andén.

—Nada.

—Todo el man que pasa por acá está buscando algo. ¿Qué se le ofrece?

Apresuré el paso, pero el tipo no se despegaba.

—Ya le dije que nada.

Cuando miré hacia atrás, pude ver que otro se estaba acercando.

—¡Quieto, maricón!

Sentí que trataban de agarrarme por la manga de la chaqueta. Corrí como si tuviera cuatro pies, zafándome sin molestarme en averiguar de cuál de los dos se trataba. Después de cien metros empecé a trotar; a lo lejos se oían sus carcajadas.

—¿Qué te pasó en la frente? —preguntó Jaime.

—Me maluquié y me fui de jeta.

—Supimos por Quico que ahora estás dedicado al detectivismo —dijo el Pollo mientras encendía un cigarrillo.

—Mostranos las fotos —dijo Jaime.

Les resumí la historia. Jaime lamentó no haber visto a la Sanders en pelota. El Pollo me cocinó una pasta-3-minutos mientras yo, indignado por lo que me acababa de suceder, renegaba simbólicamente del barrio donde vivían: puse *Where the Streets Have no Name*, en la versión de Pet Shop Boys porque a Jaime le empezó a gustar U2 desde *Achtung Baby*.

—¿Vas a ir a El Polo a buscar al tal Santiago? —preguntó el Pollo.

—No me queda de otra. Si no se pudo con la policía, ni con la prensa, ni con Carolina, vamos a ver cómo me va con él.

—Tené cuidado.

Jaime, que se había metido en su pieza, regresó con una pastilla y me la dejó caer en la mano.

—¿Qué es?

—Lo trajo un amigo de Europa, se llama *mystical* y parece que es la bestia. Mejor que los ácidos y el éxtasis —le brillaban los ojos, como si fuera un buzo y acabara de encontrar una perla—. Me lo voy a meter mañana, cuando vayamos a Península.

Cuando sugirió conseguir una para mí, se la entregué y le recordé que no era mi rollo.

—Ustedes se lo pierden —siempre utilizaba esta frase en plural, porque se refería al Pollo, a Quico y a mí, aunque solo estuviera hablando con uno de nosotros.

—¿Y tu apartamento?

—No me asomo allá ni por el putas. Esos tipos deben estar esperando que me confíe y vuelva.

El Pollo se fue a dormir y me quedé hablando con Jaime hasta que los ojos se me empezaron a cerrar. Me contó de las investigaciones que había hecho para su monografía sobre la evolución de la lengua española desde la Edad Media hasta el *slang* de nuestros días. Ese fue el punto de partida para concluir, al cabo de muchas vueltas, que no le habría molestado vivir en una corte del Siglo de Oro español porque allá se culiaba mucho, aunque no existieran el mystical ni las discotecas.

Aunque Palermo y Roma son dos ciudades de Italia, Egipto un país de África, México queda en Centroamérica y Santa Mónica es una ciudad del estado de California, en la tierra de las papas fritas y los indios apaches, hay un lugar en el mundo en donde todos están separados por una docena de kilómetros: Bogotá. Si hay algo de cosmopolita en esta ciudad son los nombres de los barrios; y no tengo puta idea de dónde salen porque en Palermo y Roma no viven italianos, en el barrio México no hay taquerías y en Santa Mónica nadie habla inglés, para no mencionar las pirámides que nunca han existido en Egipto. Yo caminaba por La Castellana, donde, por supuesto, es más fácil toparse con la Virgen María cantando vallenatos que con el Santiago Bernabéu o la Plaza de Castilla. Me detuve en una casa de dos pisos, sin verja, y timbré dos veces.

—Qué hubo Martín, ¿qué lo trae por acá? —preguntó doña Consuelo, extrañada.

Me hizo seguir a una sala con muebles Luis xv en la que todo parecía de la época de Luis xv: cuadros tan viejos, que casi era imposible definir cuáles eran las pinceladas y cuáles los añadidos del deterioro, unas porcelanas dignas de museo y un tapete que seguramente habían pisado millones de personas antes de llegar a manos (o, mejor, a pies) de doña Consuelo. Ella también parecía salida de otra época, como si la viudez y la soledad la hubieran congelado en el tiempo.

Una fracción de segundo antes de que me preguntara el porqué de mi visita, después del pequeño silencio que concluye los formalismos y da paso a las cosas concretas, desembuché:

—No estoy aquí para reprocharle que no me haya dicho lo del inquilino anterior. Yo sé que esas cosas espantan a los clientes. Pero si hay algo que sepa de Alejandro Villabona, dígamelo ya y quedamos a mano.

Doña Consuelo recibió mi frase como un remezón en el andamiaje de su honestidad. Tal vez por eso no quiso justificarse. Se levantó del sillón sin decir palabra, subió las escaleras y regresó con un recibo de teléfono que tenía dos llamadas a un número en Ráquira. Me contó que el recibo había llegado una semana después, que la policía, como era de esperar, no le había preguntado casi nada y que no había mencionado lo del recibo porque quería dejar el asunto atrás. Como doña Consuelo no era tan imbécil como yo y no le gustaban los problemas ajenos, tampoco llamó a Ráquira a avisar.

Guardé el recibo en el bolsillo interior de mi chaqueta y salí de ahí pensando que si me pasaba algo, doña Consuelo se iba a gastar sus ahorros en exorcizar el apartamento antes de alquilárselo al próximo, porque si el tipo era sensible a los fantasmas, como yo, iba a ser el siguiente eslabón de una cadena de pendejos.

—¿Ráquira?

—Sí, Ráquira, como si no fuera suficiente con el extranjero de Barranquilla, ahora Ráquira —le contesté a Quico, que estaba más desconcertado que yo.

—¿Llamaste?

—Desde la casa de Jaime y el Pollo, cuando salí de donde doña Consuelo. Una grabación dice que el teléfono está dañado, que lo están arreglando. Estoy cagado.

—¿Vas a ir adonde el tal Santiago?

—Sí.

—Voy con vos.

Habría podido contestar con una de esas frases que dicen en las películas, al estilo Robert Mitchum, como "es mejor que no lo hagas, ya te has metido en muchos problemas por mi culpa", o "ya me has ayudado suficiente, esto es una cosa que debo hacer yo mismo", pero a mí que no me vengan con maricadas: ningún ser humano de carne y hueso en mis circunstancias rechazaría que lo acompañen a verse con un desconocido. O a lo mejor es que soy muy cobarde para creerme Robert Mitchum.

Como era viernes por la noche y debíamos actuar en consecuencia, Quico y yo nos reuniríamos con Santiago y luego nos veríamos en Península con Jaime y el Pollo, si todo salía bien, para celebrar que seguíamos vivos.

A la iglesia de Las Nieves se puede entrar a comprar salchichones porque su nave izquierda está ocupada por una salsamentaria. Justo enfrente, en el Parque de Las Nieves, hay una estatua de un prócer de la patria que no tiene nombre y que nadie sabe de quién es porque todos los próceres colombianos son igualitos. La iglesia de Usaquén casi fue demolida porque los vecinos del lugar buscaban un tesoro indígena que dizque estaba enterrado frente a la puerta. El Museo Nacional era una cárcel y la Avenida Jiménez era un río. En el Parque de los Periodistas no hay un solo periodista y en el Chorro de Quevedo no hay chorros, solo marihuaneros. La carrera Séptima, que atraviesa la ciudad, cambia de sentido dos veces al día; cuando hicieron la Avenida Caracas se supuso que iba a llegar hasta esa ciudad y les falló el cálculo por más de mil kilómetros. Cuando Jiménez de Quesada plantó la bandera española en este lugar y mandó levantar doce chozas, no estaba fundando una ciudad, estaba creando la contradicción urbana más grande que la humanidad haya conocido.

La calle Dieciséis es, dentro de Bogotá, la materialización más desafiante del caos en un tramo de cien metros. En su género está a la cabeza en el mundo, es el Carlos Gardel de los tangos, el Maracaná de los estadios: en la Séptima tiene dos iglesias separadas entre sí, puerta a puerta, por cuatro metros. La Santa Veracruz y la Tercera Franciscana se han mirado las caras desde hace siglos, peleándose los fieles en una zona que es más bien impía. Frente a las iglesias alternan los saltimbanquis, los vendedores de frutas y los músicos callejeros, produciendo entre todos una costra de ruido que se queda pegada en los tímpanos. Más al occidente, los vendedores, aprovechando que es una calle peatonal (aunque no debe extrañarnos ver desfilar algunos carros), ofrecen desde estampitas religiosas hasta medias veladas que no se rompen, antenas para el televisor y porcelanas chinas. Allí quedan la Secretaría de Salud y la de Cultura, y también el café más antiguo de la ciudad, el San Moritz, donde se dan cita cientos de pensionados a jugar billar y a tomar una versión criolla del capuchino. Allí quedaba el prestigioso Gun Club, que hace una década, huyendo del desprestigio de la Dieciséis, se mudó a lugares más dignos. Más abajo, el Centro Cultural del Libro, paraíso de los lectores sin plata y de los libros de segunda mano. Casi enfrente está el Hotel Luna, una casa ruinosa y polvorienta que gozó de cierta fama en el círculo cinéfilo local, merced a un cortometraje que cayó en el olvido tan rápido como el hotel. El sol de mediodía entra a empellones por entre las paredes de los edificios que delimitan la calle, antiguos y modernos, barrocos y cuadrados, relucientes y vetustos. Unas pocas horas en que se repliegan las sombras que dominan la calle fría, azul, lunar.

A las seis de la tarde, la Dieciséis se torna moribunda. Es el momento del cambio de reparto. Los vendedores, los empleados públicos, los libreros y los pensionados se van, mientras un pelotón de tipos fantasmales se acuartela en las cercanías del café El Polo, a menos de veinte metros del Museo Religioso Franciscano, donde reposan los restos del virrey Solís, ayer pecador arrepentido y converso, hoy un montón de huesos acosados por las rancheras que brotan del cafetín.

Dejamos el carro en la calle siguiente, frente a unos billares, y entramos en El Polo, apartando muchedumbre a codazos. La gente nos miraba como lo que éramos: un par de extraños con cara de niños consentidos, niños bien melenudos en safari por los bajos fondos.

—Buenas noches —le dije al de la barra, arrepintiéndome en mitad de la frase porque seguramente ahí no se usaban los buenos modales.

El tipo me contestó con un gruñido y me preguntó qué íbamos a tomar. Pedimos dos cervezas y le dije que buscábamos a Santiago. Nos miró con una intensidad que me puso a tambalear; luego apartó el mostrador y nos hizo entrar en un cuarto mugroso en la parte trasera, al que se llegaba haciendo a un lado el cadáver de una nevera vieja. Nos sentamos en sendos butacos.

—¿Su nombre?

—Martín Garrido.

—Lo manda doña Ana Lucía —dijo, como para sí mismo.

Nunca pensé que el "doña" le quedara bien a la Sanders.

—¿Y él? —preguntó luego.

—Es Quico, mi Watson.

—¿Su qué?

—No importa.

—Para empezar, no me llamo Santiago, soy Jairo. Santiago es el nombre que uso ahora.

Después de las presentaciones, le conté mi historia al tiempo que descubría que, de tanto repetirla, había tomado la consistencia de una novela, con sus indicios, sus personajes y un *suspense* que me costaba identificar como de mi autoría o del vaivén de los acontecimientos. En todo caso, a nuestro interlocutor no le producía mayores emociones mi relato; seguro el suyo era mucho mejor, pensé, mientras apresuraba el final en espera del momento en que Santiago, o Jairo, o como se llamara, venciera la desconfianza y nos dijera algo.

Jairo, un poco mayor que nosotros, moreno y con un halo de tristeza que lo precedía, había sido el chofer de la Sanders durante casi cuatro años. La Sanders lo había conocido en La Mesa, cuando era un niño. Ella lo había recomendado para el puesto. Era su único aliado en una vida llena de servidumbre escuchando tras las puertas, todos atentos a la mínima falta; "espionaje doméstico", como habría de bautizarlo Quico más tarde.

Ana Lucía Sanders siempre supo que la iban a descubrir, esa certeza era casi una espera. Por eso, cuando notó que Torrado no era el mismo y que un silencio de conspiración flotaba a su alrededor, sacó todos sus ahorros, sus joyas y el pasaporte, y le pidió a Jairo que la llevara adonde Villabona y que los esperara para llevarlos al aeropuerto. Dos horas después, la Sanders salía del edificio como nunca, ni en sus más agudas tristezas, la había visto Jairo. Le entregó quinientos mil pesos y le dijo que no valía la pena que se hiciera matar, que ella regresaría sola a enfrentarse con Torrado.

Esa noche fue larga y triste y plagada de culpas; Jairo caminó sin rumbo por las calles, sintiéndose cobarde e impotente y prometiéndose que algún día se iba a desquitar, por él y por doña

Ana Lucía. Esa noche se apagaron cigarrillos en la piel de la Sanders, su hombro terminó hecho jirones y la piel de su rostro cedió ante los nudillos de Torrado, quien, aunque ya lo había escuchado todo a las dos de la mañana, no descansó hasta las cuatro, cuando estuvo convencido de que su esposa no sabía el paradero de Jairo, que mientras tanto acababa de alquilar un cuarto en el Hotel Luna.

A los dos días, Jairo había conseguido trabajo en El Polo. A la semana siguiente, un martes, Villabona salía a la tienda y se encontraba con los matones de Torrado. A los quince días, Jairo se comunicaba en secreto con Ana Lucía Sanders para hacerle saber que estaba bien, dónde estaba trabajando y que, por seguridad, de ahora en adelante se llamaba Santiago. A los tres meses yo le estrellaba mi marranito de barro en la cabeza al gordo del trasteo y a los cinco me disfrazaba de hare krishna sin sospechar que estaba desencadenando una persecución que, hasta ahora, culminaba en la trastienda de un bar de mala muerte.

Jairo hizo una pausa en su relato, se llevó las botellas vacías y volvió con otras llenas. Luego, se dejó caer en el catre.

—¿Villabona tenía algún pariente en Ráquira? —preguntó Quico.

—¿O en Barranquilla? —pregunté.

No sabía nada de parientes y jamás había oído mentar el nombre de Leumás hasta ese momento. En compensación, nos describió en detalle a los gángsters de Torrado.

—El gordo barbudo de la rana tatuada en el cuello se llama Manuel —dijo, como si estuviera describiendo a sus primos en una foto familiar—. Nunca he sabido el nombre del flaco de bigotes; le dicen Caja Negra porque cuentan que fue el único que se salvó de un accidente aéreo; el golpe lo dejó mudo y como despistado, pero no le quitó lo hijueputa. El enano es el más malo de los tres; se llama Gustavo pero le dicen Putamadre, ya se imaginarán por qué.

"José Ignacio Torrado y el mayor Palomino son socios en muchos torcidos: desfalcos, chantajes, prostitución… Todo chulo, estafador, secuestrador, violador y desvalijador de carros tiene que pagarles un porcentaje para trabajar tranquilo; por esa plata Palomino se hace el güevón. Torrado es más fino, se entiende con los tipos pesados, las baratijas son para Palomino, pero todo lo dividen en mitades. Al que no le guste la vaina le caen los de la camioneta roja o la policía.

"Manuel, Caja Negra y Putamadre serán muy peligrosos, pero son bien brutos: los he estado siguiendo en el Simca de un primo y no se la han pillado. Hace como una semana se llevaron a un tipo, cogieron carretera hacia el norte y se metieron en un bosquecito. De ahí salieron los tres, solos, y se fueron a tomar cerveza. Yo creo que en ese bosquecito es donde entierran los muertos".

Un silencio pegajoso descendió sobre nosotros.

—¿Y qué hacen cuando no están matando tipos en las afueras? —preguntó Quico.

—Se la pasan enfrente del edificio de don Alejandro.

—El mío.

—Ese mismo.

—¿Y ahora qué vamos a hacer? —pregunté. Las preguntas incómodas, difíciles de responder o que no tienen solución siempre se dejan para el final.

—Nos vamos para Península —respondió Quico, que siempre encontraba la forma de que las cosas parecieran triviales.

—No sé cómo me convencieron. Esta mierda está llena de hijos de papi —protestó Jairo, que había dejado la barra de El Polo en manos de un amigo y miraba la entrada de Península con desconfianza.

—Cuando veás las nenas que hay dentro... —argumentó Quico.

—Me voy a dar cuenta de que soy pobre, morenito y mal vestido, me voy a meter en un rincón a mirar a esa parranda de niños bonitos que se creen que cagan masmelo y mean Lapidus... y me voy a deprimir.

¿Qué podíamos responder? Jairo había provocado mi primer ataque de culpa de clase, cuyos síntomas son: insuficiencia argumental, rechazo absoluto de lo frívolo y descubrimiento de la relación burgués-pendejo.

—O vas a ver las nenas, se te va a empinar el pipí y te vas a comer a una niña rica con aires de guarra, que se va a creer de avanzada porque no se va con el niño bonito —contestó Quico, que nunca ha sufrido culpa de clase y tiene mejores argumentos que yo.

Santo remedio. Quico era la encarnación Hada Madrina-grunge de la Cenicienta-latin lover en que se había convertido Jairo después de oír tan sabias palabras.

–¿Y él? –preguntó el portero-hermanastra malvada, censurando a Jairo de un vistazo, en la puerta de Península.

–Es mi hermano mayor –respondió Quico.

¿Cómo contradecir a uno de los clientes más notorios y perseverantes? El portero, derrotado, se rascó la cabezota, recibió los billetes y estampó el sello en nuestras muñecas.

Penetramos en un océano de brazos levantados y siluetas contorsionadas en el que la mejor forma de abrirse camino habría sido una sierra eléctrica. Las luces restallaban sobre la muchedumbre, haciendo brillar el sudor como si fuera escarcha. Desde su altar, el *disc jockey* consagraba la rumba con un tecno espeso, lleno de gemidos y distorsiones. Al fondo, cerca de los baños, Jaime parecía una marioneta guiada por un titiritero histérico. Me acerqué a él mientras Quico y Jairo se aprovisionaban en la barra.

–Qui'hubo, marica.

–¡Ce, Martín!; poco has aguijado. Parecióme mala señal tu estada. Landre me mate, si no me alegro en verte gozando de hálito –respondió Jaime, dejándome perplejo.

–No te entiendo un culo –le dije, mientras buscaba al Pollo en los alrededores.

–El *mystical* se ha aposentado en mi seso, privándome de mi natural juicio. Haciendo que vengan a mi boca con delectable primor, sotil artificio, fuerte y claro metal, las palabras con modo y labor de muchos años ha; como fueron pronunciadas por hombres de recordable memoria en tierras de Castilla.

–No le hagás caso –terció el Pollo, que acababa de aparecer a mis espaldas–. Se tragó esa pepa y se creyó el rollo de la tesis.

–¿De do vienes? ¿Qué es de Quico?

—Venimos de El Polo. Quico está en la barra con el tal Santiago, que se llama Jairo y es de los nuestros —contesté, sin acabar de acostumbrarme a la jeringonza de Jaime.

—Certifícame si hobo buen fin tu visita. ¿Qué pasaste con Santiago?

Miré al Pollo con desconcierto.

—Creo que te está preguntando de qué hablaron.

—Vamos adonde Quico, que necesito un trago. Allá les cuento —respondí, mientras me daba vuelta.

—Alabo y loo tu buen sufrimiento, tu cuerda osadía, tus solícitos y fieles pasos, tu provechosa importunidad —dijo Jaime a Jairo, cuando les contamos el resto de la historia.

Si al entrar a Península Jairo pensó que no estaba con la gente indicada, al cabo de la conversación ya lo había confirmado. El Pollo quiso aliviar la situación tratando de regresarlo al español actual.

—Ya estuvo bueno, Jaime. Hablá como una persona normal.

—El mystical me impide hablar como vos, según tiene mi lengua y mi sentido cativos.

—¿Y para qué te ponés a meterte pendejadas en la cabeza? —protestó Quico.

—Por Dios, no corrompas mi placer, no mezcles tu ira con mis aleluyas, no revuelvas tu descontentamiento con mi descanso. Esto quita la tristeza del corazón, más que el oro ni el coral; esto da esfuerzo al mozo y al viejo fuerza, pone color al descolorido, coraje al cobarde, al flojo diligencia y demás de esto, conforta los celebros. Más propiedades te diría de ello, que todos tenéis cabellos.

Imaginaba que si alguien estuviera controlando nuestros destinos, era proclive al surrealismo, a las novelas policíacas y al cine de Woody Allen; "casi" sentí simpatía por él al observar que había logrado una situación bastante divertida: un perseguido por metiche, un ex chofer alcahuete y tres colaboradores voluntarios, uno de ellos presa de su tesis de grado, metidos en una discoteca ante la imposibilidad de mejorar en algo su condición. Digo "casi", porque no puede resultarnos simpático alguien que, merced a su pasión por complicarlo todo, haga entrar en escena la figura lánguida y despelucada de Carolina, cobijada por un chorro de luz roja.

Abandoné el grupo y me planté frente a ella, que siguió bailando como si yo fuera invisible. Todas las cosas inteligentes que pude decirle fueron reemplazadas por un "hola", que se oyó bien cínico, cuando no idiota.

—...

—Todo lo que te dije es verdad —balbuceé.

Por toda respuesta, Carolina giró en redondo y se largó a la esquina opuesta de Península, dejándome plantado en mitad de la pista. Pude darme cuenta de que Quico y los demás observaban desde lejos. Dudé un instante antes de seguirla, y más me habría valido no hacerlo, pues cuando la encontré estaba en brazos de otro tipo, seguramente con historias menos extrañas que las mías. Regresé derrotado a la barra, donde Jaime y los demás bebían como caballos asoleados.

—Dejad las malas cogitaciones y vicios de amor. A todo correr debéis de huir de las mentiras, tráfagos, lagrimillas y alteraciones de las féminas, no os lance cupido sus tiros dorados y hayas mal fin. Qué hastío es conferir con ellas más de aquel breve tiempo que aparejadas son a deleite.

—No sé muy bien lo que acaba de decir este güevón, pero estoy de acuerdo –intervino Jairo, ya medio entonado, y me entregó una cerveza.

Las luces parpadeaban sin cesar, el trago bajaba a cántaros por nuestras gargantas, la música revoloteaba a nuestro alrededor como una bandada de pájaros y ya era inútil querer buscar un mejor final para esa noche interminable.

No vas a pensar en nada *ron, ron, ron* no vale la pena *luces rojas* que te comás el coco *ron, ron, ron* tratando de averiguar qué hiciste mal *humo* porque quizá descubrás que no hiciste nada bien *tum tum tum* y que todo es tu culpa *sudor* el semestre se fue pa' la mierda *tum tum tum* querías vivir solo y no podés ir a tu casa *luz roja* querías tranquilidad y solo tenés malos sueños *ron, ron, ron* malgastaste tu soledad *luces verdes* te convertiste en un perseguido *humo* en el pendejo del paseo *sudor* y no fuiste capaz ni siquiera de retener a Carolina *luces rojas* porque terminaste metido en líos ajenos *ron, ron, ron* nadie te va a agradecer *sudor* que te estés jugando el pellejo *luz verde* por muertos que nadie llora *tum tum tum* infidelidades que no disfrutaste *humo* negocios de los que no te dan parte *luz roja* fotografías que no tomaste *ron, ron, ron* ofensas que no te hicieron *sudor* ya es muy tarde para echar atrás *tum tum tum* y te faltan fuerzas para seguir adelante *sudor* ahora que sabés que vas perdiendo *luces verdes* que le estás robando horas a la muerte *ron, ron, ron* y volvés a tener esa incómoda sensasión de estupidez *tum tum tum* de esfuerzos pendejos *humo* de tiempo malgastado en maricadas *luces rojas* por eso es mejor que no pensés *ron, ron, ron* que no pensés en nada *tum tum tum* queno pensés en nada *sudor* quenopensés en nada *luz verde* quenopensésen nada *empujones* quenopensésennada *empujones* nada *empujones* nada...

–Jaime se está dando en la jeta con un tipo –gritaba el Pollo.

El círculo que se había abierto en la pista, teniendo en cuenta la cantidad de personas que estaba bailando, desafiaba las leyes de la física. En el medio, Jaime descargaba rectos de derecha, de izquierda, *opercuts, jabs* y ganchos sobre el tipo que estaba con Carolina. En cuestión de segundos, los gorilas de Península echaron mano de Jaime, porque el otro estaba medio inconsciente.

–El otro empezó –intervino Quico–, no fue culpa de Jaime.

Los gorilas dudaron un segundo, pero la autoridad de Quico, cliente número uno del lugar, se impuso. Soltaron a Jaime después de zamparle un par de cachetadas y decirle que se calmara o lo sacaban, fueron por el otro, lo levantaron del piso y lo condujeron a la salida.

–¡Tú y tus amigos son una partida de hijueputas! –me dijo Carolina, antes de largarse.

Nos fuimos para la barra. El Pollo confirmó nuestras sospechas: Jaime había dicho algo sobre "vengar la afrenta" y se había abalanzado sobre el pobre tipo, que ni siquiera lo había mirado.

Debimos imaginarnos que el mystical iría más allá de modificar el discurso de nuestro amigo, o tal vez tomar sus palabras en serio y vigilarlo más de cerca, incluso persuadirlo de que no tomara drogas desconocidas.

–Esta sacra melecina cortó mi cobardía, destorció mi encogimiento, desdobló mis fuerzas, finalmente me dio osadía. Les daré tan amargo jarope a beber, cual a ti han dado los inicuos ventores –sentenció Jaime.

El Pollo y Quico fueron a tranquilizar a los gorilas.

–Llevémoslo a la casa, ya está muy loco –recomendó Jairo.

—Por crímenes de cruel muerte en poder de mi rigurosa justicia padecerán. Iré a tu casa por ganar este pleito o morir en la demanda —completó Jaime. Luego, se dio vuelta y echó a correr hacia fuera.

La multitud se cerró a espaldas de Jaime entorpeciendo mi salida. Cuando llegué a las puertas de Península, ya era tarde: Jaime se alejaba hacia mi casa montado en un taxi.

Regresé, reuní a los demás y les conté la situación.

—A buena hora se vino a chiflar este güevón –dijo Quico, mientras hundía el acelerador hasta el fondo y se concentraba en esquivar los demás carros.

Existía la posibilidad de que los matones de Torrado se hubieran ido a cumplir con otros deberes, pero a estas alturas ya estaba convencido de que la ley de probabilidades siempre iba a obrar en contra nuestra.

Quico enfiló su Renault 12 por la carrera Quinta, a todo lo que daba el motor.

—¿Qué vamos a hacer si nos los encontramos? –preguntó Jairo–. Aquí nadie está armado.

—Improvisar –respondió Quico, con la tranquilidad y las palabras que nos faltaban al Pollo y a mí.

El carro derrapaba en cada curva. En dos ocasiones estuvimos a punto de clavarnos contra la fachada de una casa, pero no había otra forma de contrarrestar los diez minutos de ventaja que tenía Jaime sobre nosotros; tiempo de sobra para suponer que lo peor ya había sucedido.

Doblamos por la esquina de la Cuarenta y Cinco. Desde allí vimos a Jaime caminando hacia la camioneta. Quico apagó las luces del carro y frenó silenciosamente a unos trescientos metros de la portería de mi edificio, en un rincón oscuro de la calle.

—¿Qué putas estás haciendo? —pregunté.

—Improvisando.

—¡Vamos a ayudarlo! —gritó el Pollo.

—Si llegamos hasta allá, vamos a delatarlo —contestó Quico, con la seguridad que da un argumento razonable—. A lo mejor pregunta por vos, el portero le dice que no estás y se larga a dormir.

Pero la ley de probabilidades no se inclinaría a favor de nosotros, bastiones de mala suerte, perdedores de oficio: Jaime se largó a vociferar, interrumpiendo la partida de cartas que estaban jugando sobre el capó, le puso un par de patadas a la puerta y clamó a los cielos con ademanes teatrales.

—Ahora sí la cagó —musité.

El bajito se acercó y lo golpeó con la cacha de la pistola. Jaime se tambaleó unas cuantas veces hasta que logró estabilizarse. Su cara empezó a sangrar. El flaco de bigotes, Caja Negra, se paró frente a él y empezó a trazar figuras en el aire.

—¿Y ese está jugando a la mímica? —señaló el Pollo, sin entender nada. Jairo le aclaró que era mudo.

Manuel, el gordo del tatuaje, le dio un puño en la espalda, lo treparon a la camioneta y arrancaron. El Pollo quiso bajarse del carro; Jairo lo inmovilizó aplicándole una llave que parecía de judo, pero era más producto de la desesperación que de su conocimiento de las artes marciales.

—¡Se lo están llevando! ¡Lo van a quebrar!

—Por lo menos sabemos para dónde van —le contestó Jairo.

Considerando nuestra cobardía y el fracaso del plan de improvisación, conocer su destino no nos iba a servir para nada.

Cuando la camioneta dio vuelta a la esquina, Quico avanzó hasta la portería. Me bajé del carro y corrí hasta toparme con Mario, portero crucigramista que acababa de presenciar un secuestro y que no comprendía del todo mi ausencia de dos semanas.

–¡Martín!, no se imagina lo que...

–No le vaya a avisar a la policía, no le diga a nadie que me ha visto y hágame un favor.

–¿Cuál?

–Présteme su gas paralizante.

Mario hurgó en sus bolsillos y me entregó el *spray*. El portero anterior tenía razón: "¿Cómo iba a atacarlos con este cagado ambientador?", pero en situaciones como esta uno se prende de cualquier cosa, aunque solo sirva de ayuda psicológica.

Tomamos la Séptima hacia el norte bajo una lluvia tímida que se empezaba a deshilachar convirtiendo las calles en espejos opacos. Pasamos la Setenta y Dos, la Cien, la Hacienda Santa Bárbara, Santa Ana, Cedro Golf, San Cristóbal Norte, y la Séptima se fue haciendo cada vez más estrecha, más sinuosa y más oscura, las casas empezaron a estar más separadas entre sí, aparecieron mangones y potreros cercados por alambre de púas. Pasamos la salida hacia Chía y la vegetación se salía de su cauce, como queriendo adueñarse del asfalto. Llegamos al peaje. Mientras comprábamos el tiquete, Jairo dijo que ellos debían tomar un desvío para evitar pasar por ahí, lo que descontaba algo del camino que, por diferencias de motor, habíamos perdido. Llegamos al Puente del Común y tomamos la autopista, solitaria y ancha como un río de cemento en mitad de la selva. Al lado derecho, canteras de arena y piedra para construcción, con retroexcavadoras parqueadas simulando insectos gigantes dormidos; al lado izquierdo, la zanja que separa la vía de regreso. Cuando vimos una señal fluorescente que decía "Briceño a 4 km", Jairo pronunció un "¡mierda!" quebrado de angustia.

–¿Qué pasa? –preguntó Quico.

–Nos pasamos.

El Pollo agarró a Jairo por el cuello, diciéndole que por su culpa iban a matar a Jaime. Quico frenó en seco.

–¡No estás ayudando en nada, Pollo! ¡Parecés una vieja histérica!

–Devolvámonos –sugerí.

Quico, en vista de que no podíamos pasar la zanja para devolvernos, dio la vuelta en u y se metió en contravía por la calzada de la autopista; no había más remedio. Jairo señaló la entrada a una de las canteras al cabo de dos kilómetros.

–¿Estás seguro? –preguntó el Pollo con sorna y algo de mala leche reprimida. Jairo asintió, dijo que la cantera estaba abandonada y que detrás estaba el matorral donde enterraban los muertos.

Quico apagó el motor y dejó deslizar el carro sobre la cuneta.

–Desde aquí nos toca a pata para que no nos oigan –explicó.

Nos bajamos del carro y empezamos a subir la pendiente. El rumor de la lluvia se confundía con el sonido de la sangre palpitando en mi cabeza; era el murmullo del miedo recorriendo mi cuerpo, recordándome la existencia de cada poro, de cada nervio, del más sutil movimiento, la conciencia de que estás vivo cuando no sabés por cuánto tiempo, y te podés ir dejando tantas cosas por hacer... Y sentís que no conociste a tantas personas como querías, nunca viste estrellas fugaces, no conocés el amor ni extrañaste a alguien de manera definitiva, no lloraste cuando debiste hacerlo, ni pediste perdón, y te da rabia saber que si te morís, te morís arrepentido, que ni siquiera eso hiciste bien del todo; que fuiste víctima de vos mismo, fuiste tu peor enemigo.

Llegamos a la cantera y vimos la camioneta a lo lejos, parqueada cerca de un matorral espeso.

–Están en ese bosque –susurró Jairo.

Caminamos ocultándonos en medio de terraplenes sombríos, a tientas, tropezando de vez en cuando con alguna piedra, hasta donde daba comienzo el matorral.

Conocí a Jaime el primer día de clases de octavo grado en el Colegio Berchmans de Cali. Mientras los demás teníamos la cara llena de barros, nos hacíamos la paja casi todos los días, la bicicleta era nuestro principal medio de transporte y todos queríamos llenar el álbum de chocolatinas Jet antes que los otros, Jaime venía de un colegio que nunca habíamos oído mencionar, era dos años mayor que nosotros, ya no montaba en bicicleta y nunca se había interesado por llenar álbumes.

El Pollo y yo éramos inseparables, estudiábamos juntos desde kínder y vivíamos en el mismo edificio. Nuestros papás eran amigos, celebrábamos las navidades juntos e incluso sacábamos las mismas notas regulares en el colegio. Éramos el caso típico de alumno superviviente, de los que cruzan los dedos cuando van a ver si aprobaron su paso al siguiente curso, de los que tiemblan cada vez que entregan notas y que al final les lloran a todos los profesores para tratar de remediar lo que no se logró con estudio. Al principio, pensamos que Jaime iba a ser nuestra competencia en esas lides de alumno mediocre que caracterizaron nuestro bachillerato: se sentaba atrás, no tenía cuadernos, se quedaba dormido en clase y al parecer el Álgebra y la Trigonometría le iban tan bien como el sánscrito. Pensamos que, por comparación, íbamos a parecer mejores estudiantes de lo que éramos. Jaime, además, compartía con nosotros la condición de paria, de exiliado de las fiestas y de los planes de los demás. Bueno, por lo menos el Pollo y yo nos teníamos el uno al otro; Jaime, en cambio, no hablaba con nadie, hacía los trabajos solo y nunca participaba.

Pero en la primera entrega de notas nuestras suposiciones se fueron para la mierda: Jaime Andrés Perdomo era el mejor alumno del curso; por encima de Otoya, que estudiaba como demente, era deportista, ayudante de los curas y sapo, superando incluso a Morelos, que estuvo en tratamiento psiquiátrico porque había intentado suicidarse al perder un examen. En esa entrega de notas, también nosotros superamos nuestras expectativas: el Pollo, por primera vez en su vida, perdía siete materias, aprobando únicamente educación física y deportes; yo, seis, porque aprobé además Dibujo Técnico con la mínima. Nos fueron impuestos severos castigos, de común acuerdo entre nuestras familias, que ameritaron una reunión de emergencia en la que decidimos cuál iba a ser nuestra solución: Jaime.

Así, se estableció entre nosotros y Jaime una relación parasitaria que, a fuerza de reuniones para estudiar, gorreada de trabajos y solícitos favores por parte nuestra, terminó convertida en amistad. Luego vino Quico, nos graduamos, nos vinimos a vivir acá y han pasado seis años desde el primer día que lo vimos, sentado en el asiento de atrás, mirando al vacío como si nadie existiera. Razones suficientes para estar caminando bajo la lluvia, en una arboleda tétrica, con un gas paralizante en la mano y la esperanza de llegar antes de que los desgraciados lo fueran a matar.

Habíamos caminado un pequeño tramo. Un revuelto de voces, en el que distinguí claramente la de Jaime, desvaneció mis recuerdos. Luego, un resplandor titilante se dirigió hacia nosotros. Nos parapetamos tras unos mechones largos de maleza, oyendo pasos que venían justo hacia el lugar donde estábamos. Sentí la respiración convulsa de los cuatro, el pánico inundando nuestro fortín de hierba. La figura esmirriada de Caja Negra pasó a poco menos de un metro de nosotros, llevando consigo una linterna. Durante un segundo pude ver los rasgos aindiados de Jairo, con los ojos cerrados y la boca fruncida en una mueca. Si existen los milagros, que no nos hubieran descubierto era indudablemente uno de ellos.

—Va hacia la camioneta —susurró Quico, mientras se incorporaba lentamente.

Deshicimos camino hasta la cantera, guiándonos por la luz mortecina que acompañaba a Caja Negra. Cuando pudimos verlo de nuevo, estaba metido de cabeza en la cabina de la Ford, rebuscando algo en la guantera. Serpenteó sobre el asiento hasta salir. Tenía una botella de aguardiente en la mano. Cuando estaba cerrando la puerta, una fuerza imprevista, una posesión suicida me llevó en tres zancadas hacia él. Su cara, contraída en un grito sordo, recibió un chorro de gas que lo hizo recular. El Pollo apareció de algún lugar detrás de mí y le encajó un puño en la nariz. Caja Negra se desplomó como un edificio en demolición, la linterna en una mano y la botella en la otra. Quico y Jairo le soltaron sendas patadas en la cara. Noté que su mano izquierda, libre ahora, se dirigía hacia el cinto, en busca de una pistola que abultaba la pretina de su pantalón. Le puse un pie en el estómago y tomé la pistola una décima de segundo antes de que fuera suya. Se llevó las manos a los ojos y continuó gritando en silencio, como un televisor sin volumen.

Jairo recogió la linterna, le entregué el spray al Pollo y empuñé la pistola. Quico levantó a Caja Negra después de encajarle una patada que hizo crepitar sus costillas.

—Si gritás, te matamos —le dijo Quico, con el humor negro que solo puede respaldar una pistola.

Nos adentramos en la arboleda de nuevo. Jairo sostenía la linterna delante de nosotros, seguido por el Pollo, yo cerraba el grupo, oprimiendo el cañón de la pistola en la sien de Caja Negra, que iba renqueando delante de mí, zarandeado por Quico. Cuando nos acercábamos, Jairo levantó la linterna y alumbró la cara de Manuel, el gordo de la rana tatuada en el cuello, que nos salía al paso diciendo "Se iba demorando mu...".

—¡Quietos, malparidos! —gritó Jairo. Luego le sacó la pistola del cinto.

Putamadre, el chiquito, recibió nuestra comparsa de pistoleros inexpertos y matones cautivos con la jeta abierta.

—¡Oh hideputas! En buenhora aparecéis para librarme de tan dañoso estrecho. Ya me reposa el corazón, ya descansa mi pensamiento, ya reciben las venas y recobran su perdida sangre —nos saludó Jaime, que tenía la cara como un plato de espaguetis con boloñesa; sostenía una pala en las manos y estaba cavando un hueco. No era alegría lo que denunciaban sus ojos inundados de mystical, era el alivio de quien estuvo seguro de su muerte.

—Esta mierda no se va a quedar así —sentenció Putamadre.

—Va a empeorar si no dejás tu pistola en el suelo —respondió Quico.

Miró a su alrededor como buscando una solución. Jairo hundió la pistola en las costillas de Manuel, que soltó un gemido. Con este último argumento, Putamadre se dio por vencido y dejó la pistola en el piso.

—¿Con una oveja mansa tenéis vosotros manos y braveza?, ¿con un mancebo desarmado venís tres al mohíno? ¡Allá, allá, con rufianes como vosotros; contra los que ciñen espada; mostrad vuestras iras! Señal es de cobardía acometer a los menores y a los que poco pueden. Así por infortunio arrebatado perezcan o perpetuo intolerable tormento consigan —salmodió Jaime.

El Pollo recogió la pistola de Putamadre.

—Los vamos a colgar de las güevas hasta que se desangren, les vamos a meter palos en el culo y les vamos a sacar las uñas —dijo Manuel con los dientes apretados.

—Se necesitan cojones para hacernos esta mierda, y ustedes son unos mariquitas —completó el enano, alebrestándose.

Por toda respuesta, Jairo disparó a un metro de donde estaba Putamadre.

—Huigamos la muerte, que somos mozos. Que no querer morir ni matar no es cobardía, sino buen natural. Estos escuderos de Torrado son locos: no desean tanto comer ni dormir como poblar este secreto cimenterio —terció Jaime, por primera vez en la noche con algo de sentido común.

Soltamos a Manuel y a Caja negra, que se alinearon con el otro mientras Jaime se ponía de nuestro lado. El Pollo se les acercó y les descargó un buen chorro de gas paralizante.

—¡Les vamos a sacar la mierda por las orejas! —gritó el gordo. Putamadre manoteó al aire hasta tropezar con Caja Negra y caer al suelo. Nosotros corrimos hacia la cantera. Cuando llegamos a la camioneta, Jairo disparó a las llantas traseras.

Atrás se quedaron los gritos iracundos de Putamadre y Manuel. El otro se quejó en silencio.

—En los tráfagos de aquel mortuorio, antes de que vosotros me acorriérais, les conté del teléfono de Ráquira, según fui sometido a los recios tormentos que veis en mi desastrada filosomía.

—¿Ráquira? —preguntó Jairo.

Saqué el recibo del bolsillo de mi chaqueta y se lo mostré.

—Tenemos que llegar a Ráquira antes que ellos —anotó Quico, sin quitar el pie del acelerador ni los ojos de la carretera.

Otro cabo suelto, inexplicable, que se convertía ahora en un destino tan misterioso como las llamadas mismas. Villabona había muerto como un libro que se extravía en el nudo, un corte de luz en el cine, un sueño incompleto por culpa del despertador. ¿Quién se ocuparía de terminar nuestra historia si llegábamos a morir? ¿Quién se tomaría el trabajo de rastrear nuestras pobres vidas hasta dar con el final? Un pendejo como nosotros, o un grupo de pendejos siguiendo al más pendejo de todos, que haría las veces de mí mismo. Alguna vez leí que "la vida es un cuento contado por un idiota, lleno de ruido y furia, y que nada significa", yo diría que un cuento lleno de ruido y furia es la vida de un idiota que nada significa, como Villabona. Seductor de divas decadentes, holgazán desmerecido que no vale ni la más pequeña conjetura sobre su destino, había desatado una historia que estaba por encima de su pequeña existencia.

Cuando llegamos al pueblo de Briceño, la risa del Pollo se elevó por encima del ronroneo del motor: demoledora, rabiosamente delirante, a lo Nicholson. Una borrasca más fuerte que el desconcierto y el miedo inundó la cabina, gritona y lacrimosa, resistente a toda sensatez, contagiosa como la peste, estalló a borbotones en la jeta de Quico y se posó en mí, coreada en breve por Jairo y seguida de cerca con tonos medievales por Jaime. "¡Les ganamos!", dijo el Pollo con voz ahogada, desatando una magistral cagada de risa, un enjambre sonoro y entrecortado que se acrecentó cada vez que repetía, con mayor dificultad, el único parte de victoria del que podíamos preciarnos en una indómita secuencia de derrotas y trabajosos empates: "¡Les ganamos, les ganamos!".

En Sopó se tejieron numerosas hipótesis sobre lo que nos aguardaba en Ráquira. Desde encontrarnos con Villabona vivito y coleando hasta el hallazgo de una nueva pista que disparara nuestros avatares hacia sitios más lejanos. La discusión terminó en empate, pues a estas alturas cualquier posibilidad, por absurda que fuera, no era del todo descartable.

Atravesamos Tocancipá en completo silencio.

En Sesquilé nos detuvimos al borde de la carretera y meamos coreográficamente; el chorro de Jairo fue el de más alcance, el mío, el de mayor duración.

En Sisga hicimos recuento de todo lo sucedido. La versión de Jaime resaltó sobre las demás, por la descripción de los tráfagos en los que se vio envuelto y por la extraña prosa en que fueron relatados.

En Chocontá todos formulamos un deseo póstumo que sería cumplido por aquel de nosotros que, favorecido por el destino, sobreviviera a los demás. Al final estábamos bastante deprimidos.

En Ventaquemada se acabaron los cigarrillos.

Cuando llegamos al Puente de Boyacá, nos comparamos con quienes libraron batalla en ese lugar. Los ánimos se reavivaron.

En Tunja vaciamos nuestras cuentas bancarias en un cajero de Granahorrar. Era mejor tener dinero para lo que pudiera suceder.

Sutamarchán nos recibió con un cielo de colores pastel. Jaime se quedó dormido, el Pollo relevó a Quico en el volante. Los pajaritos se hicieron audibles.

Un parque diminuto e inhóspito en cuya cabecera estaba la iglesia, circundado por negocios de artesanías, la administración municipal, un cuartel de policía que no tendría más de tres agentes y una astrosa oficina de Telecom; elementos que no correspondían a la imagen del lugar que alguna vez fue catalogado como *el pueblo más bello de Colombia*. Eso era Ráquira a las cinco y media de la mañana, un territorio de fantasmas, una fábrica de silencio y tristeza.

Decidimos parquear en un camino pedregoso que se desprendía de la única calle pavimentada y montar guardia hasta que amaneciera. Quico y Jairo se durmieron; el Pollo y yo, que éramos los más nerviosos, salimos del carro y nos sentamos en un andén a esperar la salida del sol o la llegada de malas noticias.

—¿Martín?

—¿Qué?

—No vamos a ser los mismos después de que esto acabe.

—Podríamos ser menos, en el peor de los casos.

—O quedar jodidos de la cabeza, despertándonos a medianoche gritando y esas cosas.

—En el mejor de los casos. Pero para eso estudiás sicología, para que después nos hagás terapia de grupo.

—Tengo miedo.

—Ellos también, Pollo. Ya no somos tan inofensivos como antes. Además, estamos armados.

—Eso no sirve de nada si no estamos dispuestos a disparar.

—Si queremos sobrevivir, vamos a tener que aprender a pegarle un tiro al que se nos atraviese.

—No somos tan machos.

Saqué el arma que le había quitado a Caja Negra, el Pollo sacó la pistola de Putamadre. Nos miramos.

—Pero no somos tan cobardes —dije, acariciando el cañón.

En el fondo los dos entendimos que el mundo no siempre se dividía en valientes y cobardes, sino en armados y desarmados.

A las ocho de la mañana abrió sus puertas el Taller de Arte Santana, propiedad de un tuerto que además de mala persona era, al parecer, el único que madrugaba. No tenía directorio telefónico en el cual buscar el número del recibo, pero nos informó con total displicencia que Telecom Ráquira iniciaba actividades a las diez de la mañana.

A las ocho y media la Cafetería-Panadería Suárez, en la plaza, y la Heladería Cantaclaro, en la calle principal, entraron en funcionamiento. Decidimos desayunar en la heladería porque estaba más al resguardo de nuestros perseguidores. Era un metedero de tres metros cuadrados con dos mesas, un congelador que contenía helados de palito y un mostrador de tienda que exhibía en su interior paquetes de papas y panes resecos.

—No vuelvo a meter nada —dijo Jaime, con una mezcla de arrepentimiento y guayabo químico.

—Decí "no osaré meterme nada y os pido disculpas a todos vosotros por poner vuestras vidas al tablero" —se burló Quico.

—Recibísteis una buena paliza, buen hombre —continuó el Pollo.

Jairo dejó escapar una risotada.

Jaime se tocó la cara hinchada y dejó escapar un gemido.

—Tengo un diente flojo.

—Debían pegar duro —comenté.

—Sobre todo el gordo —aclaró Jaime—. Cada vez que me ponía la mano encima, sentía como si me diera con un bate.

Se levantó y contempló su reflejo en el vidrio del mostrador, el rostro amoratado, las cicatrices, las costras de sangre seca pegadas a la frente y a los pómulos. Yo miraba en silencio su reflejo mientras los demás hablaban de otra cosa; yo acompañaba su dolor y quería decirle que me sentía culpable por haberlo metido en esto, que había sido el más heroico de todos, que había fracasado en el procedimiento aunque el fin era el más noble que había conocido: defenderme. De pronto, a su derecha, en el reflejo del vidrio, descubrí una serie de letras que me fueron familiares:

ESTADERO DONDE SAMUEL

¡Leumás!

El corazón me dio un respingo. Volteé a mirar hacia el otro lado de la acera.

ESTADERO *DONDE SAMUEL*

Las deducciones simples, cuando llegan con retraso, tienen una inevitable aura de estupidez, un regusto a derrota. Noel Leumás no era otra cosa que el nombre invertido de un tal Samuel León, a quien, siguiendo una lógica elemental, encontraríamos pasando la calle.

No sabíamos a qué bando pertenecía Samuel León, si era de los buenos o de los malos, de los valientes o de los cobardes, de los armados o de los desarmados. Supimos, por boca del dueño de la heladería, que era "de los costeños", dato que confirmó que se trataba de nuestro hombre, si bien no aclaró en qué tónica nos iba a recibir.

—Esperemos lo peor —concluyó Jairo, señalando las pistolas con un gesto. El Pollo y yo nos llevamos la mano al cinto, Jairo hizo lo propio con la suya.

Atravesamos la calle y timbramos. Se oyeron unas chanclas acercándose a lo lejos. Luego alguien manipuló la cerradura y abrió la puerta lo suficiente para asomar una cabeza morena y adormilada. Jairo metió la mano por la abertura y le puso la pistola en la barriga.

—Déjenos entrar.

—Sin güevonadas —agregó Jaime, con cara de malo acentuada por la golpiza.

El tipo retrocedió.

El Estadero donde Samuel consistía en un espacio sin divisiones que tenía una docena de mesas con sillas de metal de cojines color rojo brillante, algunas de ellas dejaban ver el relleno a través de costuras descosidas; las paredes eran de cal pintada y tenían afiches de mujeres medio empelota montadas en motos; al fondo había una barra con un tocadiscos desvencijado y en las esquinas sendos parlantes del tamaño de una nevera. Quico ajustó la puerta. Yo saqué mi pistola para chicanear un poco. El Pollo no se quiso quedar atrás, forzó una mirada misteriosa y sacó la suya.

—¿Está solo? —preguntó Jairo.

Sí, y además estaba cagado de miedo. Cuatro putas que trabajaban en el sitio se habían ido a dormir a sus casas, al otro lado del río que pasa cerca de la calle principal. El Pollo acomodó sillas; nos sentamos en ellas, de cara a León, que se acababa de mear en el pantalón de sudadera que tenía puesto.

—Nos vas a contar todo sobre Alejandro Villabona o te matamos ahorita mismo —le dije, tomándome confianza.

Samuel León era grueso y compacto. Tenía poco más de treinta años, pelo esponjoso, ojos hundidos y nariz ancha. Se había conocido con Villabona cuando uno era un chulo de escasa categoría y el otro un caribonito sin un peso en el bolsillo. La especialidad de León eran los *servicios* (así los llamaba él) para señoras solitarias o con matrimonios a pique y maridos que no cumplían su deber en la cama. "Decidimos hacer negocios. En seis meses todas las señoras se querían acostar con él, entonces despaché a los otros", explicó. La alianza, desde el punto de vista comercial, tuvo los mejores resultados merced a que Villabona, además de tener un desempeño físico admirable, era elegante y educado como no había conocido a otro. Al término de seis meses ya se daban el lujo de escoger a la clientela.

Las cosas fueron bien hasta que Villabona se levantó a una vieja encopetada –casada con el presidente de una aerolínea–que le compró buena ropa, lo llevó a restaurantes finos, lo presentó en sociedad y hasta le pagó un apartamento. "No volvimos a hablar. De vez en cuando lo veía en fotos de revistas, abrazado de un empresario, tomando whisky en una exposición... Se le había subido esa vaina a la cabeza". Villabona se la tiró hasta que, de puro aburrimiento y asco, ya ni se le paraba; "era una vieja rica, pero inmunda", explicó Samuel León. "Además era celosa: le montaba unos numeritos que ya lo estaban jodiendo". Entonces buscó a León, que para entonces ya le había encontrado un par de reemplazos (del montón, nada que ver con Villabona, explicó), y después de hacerse perdonar la ingratitud con unas joyas que le había robado a su amante, convinieron sacarle plata a cambio de no contarle al marido sus andanzas. La señora, temerosa de su reputación, aflojó un buen billete que les permitió irse de vacaciones a Barranquilla, donde vive la familia de León. "Hicimos lo mismo con otro par de viejas, hasta que Alejo se enredó con Ana Lucía Sanders y se volvió a perder. Yo me vine a vivir acá y de vez en cuando hablábamos". Cuando Villabona descubrió que la situación se le iba poniendo peligrosa por parte de Torrado y comprometedora por parte de la Sanders, llamó a León y acordaron darles buen uso a las fotografías, recuerdo de una juerga para la Sanders, potencial fuente de dinero para Villabona. León recibió el rollo por correo y no se atrevió a revelarlo de inmediato, sospechando que se estaban metiendo en un lío del que podían salir mal librados. "Alejo estaba tan nervioso, que preferí esperar a que me llamara cuando se hubiera acomodado en otro sitio. Y no volví a saber más de él". Samuel León decidió que no valía la pena arriesgarse, pero no pudo encontrar a Villabona para decirle que esta vez lo iba a tener que hacer sin su ayuda;

entonces aprovechó una visita a su familia para devolverle el rollo, con dirección falsa y un nombre que –pensaba ingenuamente León– de ser rastreado, jamás iba a relacionarlo.

Pero todo plan tiene su margen de error y nadie contaba con que el siguiente inquilino iba a revolver las cosas hasta juntar las piezas perdidas de este absurdo rompecabezas.

Cuando le contamos a León por qué lo estábamos buscando, su miedo se convirtió lentamente en una sonrisa que me pareció compasiva. Por primera vez pensé que podría matar a una persona por razones diferentes del miedo.

—¿De qué te reís? —preguntó Jaime—, si hay tres güevones que deben estar llegando a matarte.

—Ustedes son los del problema. Yo empaco mis cosas, me largo y nadie vuelve a saber de mí. Ya les dije lo que sabía. Ustedes verán cómo se las arreglan.

Jairo nos miró como preguntando qué se debía hacer en un caso como ese. El Pollo, Jaime y yo no teníamos respuestas. Quico tomó la palabra para decir que no había valido la pena llegar hasta tan lejos para salvarle la vida a un chulo de pacotilla y que Villabona se tenía bien merecida su suerte.

—¿Y qué quieren?, ¿que les sirva de testigo para que me metan a la cárcel por un imbécil que pensó que le podía ganar a todo el mundo? Yo no tengo por qué pagar los errores de Alejandro —replicó.

¿Y qué pretendía Samuel León?, ¿que dejáramos ir al único, aparte de nosotros mismos, que podía contar buena parte de lo que había sucedido? ¿Que su deseo de no ir a la cárcel valiera más que nuestras vidas? Estaba muy equivocado si pensó que ninguno de nosotros iba a amartillar la pistola, se la iba a poner en la sien y le iba a decir que nos iba a tener que acompañar aunque no le gustara.

—Me va a tener que disparar —me dijo, mirándome de reojo.

No tuve que hacerlo porque en ese momento, cuando daban las diez y cuarto de la mañana en un reloj de pared que estaba colgado encima del bar, tocaron a la puerta.

—¿Está esperando visita? —le preguntó Jairo en voz baja.

—No.

—Entonces son ellos —susurró Quico.

—Pregunte si vienen de parte de Camilo José Cela —ordené.

Lo hizo y, para confirmar la sospecha de Quico, una voz iletrada respondió que sí.

—¿Hay alguna otra puerta por la que podamos salir? —preguntó alguno de nosotros, ni siquiera sé si fui yo mismo.

—Hay un patio trasero que tiene una tapia que nos podemos brincar —contestó León, pálido como una hoja de papel.

—¡A correr! —sugirió el Pollo.

Atravesamos un corredor que tenía las paredes cubiertas de garabatos y abrimos la puerta que daba a un solar lleno de hierba seca. Un estruendo sonó a nuestras espaldas, seguido de una ráfaga de metralleta. El muro debía de tener unos dos metros, pero lo franqueamos como si fuéramos gigantes, a excepción de León, quien como tenía piernas cortas y estaba en chanclas, brincaba como un renacuajo tratando de asirse del borde. Quico y yo estábamos tratando de ayudarlo, pero su manoteo desesperado impedía que pudiéramos agarrarlo de los brazos, además yo tenía una sola mano libre porque en la otra sostenía la pistola.

Cuando Quico pudo tomarlo de los sobacos, sonaron disparos en el interior.

—¡Apúrenle! —gritaban los demás desde el patio interior de una casa a la que habíamos llegado al saltar la barda.

Las chanclas de León se desprendieron de sus pies en el pataleo histérico de su escalada, que al momento iba en medio cuerpo dentro y medio fuera. Putamadre y Caja Negra llegaron hasta la puerta que daba al solar disparando hacia nosotros. Acertaron tres veces en la espalda de León y por poco me vuelan la cabeza. Quico apoyó los pies en el respaldo de la tapia y jaló a León con todas sus fuerzas, ambos cayeron a tierra en la casa vecina. Perdí el equilibrio y casi me voy de jeta, pero el Pollo me agarró de la chaqueta y me atrajo hacia ellos. Nos atrincheramos en la pared, con los dos matones en frente y una algarabía de gritos y llantos a nuestras espaldas. Jairo, el Pollo y yo, sin atrevernos a asomar la cabeza, levantábamos los brazos y disparábamos por encima.

—¡No me dejen morir! —dejó escapar León en un alarido gorgoteante, mientras Quico lo sostenía en sus brazos como si fuera un bebé.

Una ráfaga interminable por poco demuele la pared.

—¡Tenemos que irnos! —gritó el Pollo, y contestó con dos disparos hacia Caja Negra y Putamadre.

—¡Está muerto! —anunció Quico.

Jaime estaba mudo.

Echamos a correr hacia el interior de la casa, dejando a León en el patio. Como una muñeca vieja tirada en un basurero, así yacía Samuel León, con los ojos abiertos y las manos crispadas de dolor. En mala hora había conocido a Villabona y en otra peor me había entregado doña Consuelo el recibo de teléfono que lo iba a conducir a la muerte. Su desgracia no se debía a nadie más que a mí. Pero la culpa se manifiesta en momentos de reposo, no cuando uno corre por salvar su pellejo, que en ese momento era lo que más me preocupaba.

Atravesamos un corredor, la sala y llegamos a la antesala en estampida. La puerta de la calle estaba abierta de par en par seguramente porque quienes estaban dentro no se habían molestado en cerrarla al huir despavoridos. Cuando Jaime, cabeza de la retirada, llegó al umbral, un disparo lo convenció de que tal vez no era buena idea asomarse al exterior. Manuel, el gordo de la rana tatuada, había rodeado la manzana para agarrarnos por la espalda. En el patio los otros dos estaban empeñados en tumbar el muro a punta de metralleta, y lo estaban logrando. Corrí hasta la cocina y descubrí una ventana desde la cual se veía parte del cuerpo de Manuel, que estaba parapetado tras un camión viejo. Estaba tan concentrado en la puerta principal que no había tomado precauciones con esa ventana, y ahí estaba, a cinco metros, ese cuerpo redondo en el que no podía fallar aunque tuviera la peor puntería del mundo, aunque disparara con los ojos cerrados, porque los otros hijueputas estaban echando abajo la pared de atrás y no había mucho tiempo para pensar que se trataba de matar a un hombre, aunque fuera ese gordo asqueroso, embutido en una camisa barata, sudando como un caballo, que me descubría en la ventana empuñando temblorosamente esa pistola que me estaba quemando las manos; y apreté el gatillo aunque mil alaridos interiores me suplicaron que no lo hiciera.

Podría jurar que batimos una marca mundial de atletismo al rodear las dos manzanas que nos separaban del carro de Quico, con el tableteo de la metralleta a nuestras espaldas y el cadáver de Manuel en la calle. Quico encendió el motor y enfilamos hacia Bogotá. Pasamos frente al Estadero donde Samuel cuando la policía de Ráquira, revólveres en mano, cruzaba sus puertas. La camioneta roja estaba parqueada junto al andén, tan inadvertida como nosotros en la retirada.

Permanecí en silencio cuando los demás comentaron los pormenores. Cada uno de nosotros recordaba los sucesos de manera tan confusa que parecía el relato de un sueño colectivo. Me aferré a esa idea con la secreta esperanza de que alguien se despertara y nos librara de la pesadilla en que se había convertido.

El Pollo quiso tranquilizarme con la idea del regreso a Bogotá.

Cuando el regreso se piensa en términos de tiempo, no podés volver porque solo lo hacen quienes regresan a lugares, porque el pasado ya no te pertenece y ahora sos dueño de muy poco, de tan solo ese instante de conciencia que llamamos presente, al cual no podés regresar porque cuando se desprende de vos se convierte en pasado. En tu presente no hay retornos posibles. La casa de Cali, doña Magola y ese apartamento que siempre fue más de Villabona que tuyo, pertenecieron a otro presente que ya no lo es, y ahora sabés que todo estará bien cuando regresar sea un asunto territorial. Y ya no importa lo que pueda pasarte porque el fantasma que habita el único sitio al que podrías regresar, aunque ese fantasma sea inventado por vos, solo se irá cuando su muerte haya sido compensada.

TERCERA PARTE

Por la rapidez con que habían logrado ubicarnos, concluimos que el apartamento de Quico y el del Pollo y Jaime ya no eran sitios seguros para esconderse; por eso alquilamos un cuarto junto al de Jairo en el Hotel Luna. El hotel funcionaba en la segunda planta de una casa que había sobrevivido trabajosamente a más de un siglo de existencia. En el área común había un comedor de mesas rústicas coronado por una gran claraboya en la cual algunos de los vidrios habían sido reemplazados por bolsas plásticas, un juego de sapo y un refrigerador transparente junto a la cocina que contenía un pedazo descomunal de carne y algunos vegetales medio pichos. Al fondo había un salón con una pequeña pista de baile dotada de luces discotequeras que debieron acompañar, en mejores tiempos, el sonido de un gramófono. Las habitaciones estaban distribuidas a lo largo de un corredor al cual se ingresaba por una puerta de madera. La nuestra tenía tres camas, un colchón extra en el suelo, un televisor y un pequeño baño con ducha eléctrica. No era gran cosa, pero era más de lo que se podía esperar por treinta y cinco mil pesos la noche.

El inventario de nuestra artillería consistía en tres pistolas, siete balas y un gas paralizante. Quico concluyó que, ya que a cada uno nos correspondía 0,6 de pistola, 1,4 balas y 0,2 de gas paralizante, estábamos prácticamente desarmados. Yo mientras tanto pensaba que me correspondían dos de los tres muertos: León por mi culpa y Manuel por mí mismo. Si la muerte de Villabona se repartiera entre cinco (Torrado, Palomino y los tres matones), ellos serían diez veces menos culpables que yo, Martín Garrido, el asesino más asesino de esta historia. Me dieron ganas de tomar mi 0,6 de pistola y meterme 1,4 de balas en la totalidad de mi cuerpo, y lo habría hecho si no estuviera seguro de que la inexperiencia tal vez me daría cero-coma-algo de muerte.

El tiempo se arremolinaba en cada minuto. Había estado pensando qué íbamos a hacer y no se me ocurría nada sensato. Todos los planes se me desfiguraban hasta terminar convertidos en finales de películas baratas. Y mientras tanto, los relojes inmóviles, el presentimiento de que no existían soluciones.

A las cuatro de la tarde salimos a la Dieciséis, que estaba desierta porque los sábados, según contó Jairo, casi todo ocurría por la noche. Entramos en una cafetería y almorzamos gaseosa y papas rellenas. Como no podíamos hablar de otra cosa que no fuera lo que había sucedido en la mañana, comimos en silencio, sin mirarnos, incluso sin hambre; comimos por hacer algo. Luego entramos en el Centro Cultural del Libro y recorrimos los locales movidos por el mismo principio con el que almorzamos. Sin embargo, Quico compró una biografía de Le Corbusier, Jaime un libro de Ramón Menéndez Pidal que le servía para la tesis, Jairo una revista *Chic* con Nina Hartley en la portada, el Pollo no logró decidirse entre un libro de sicoanálisis y otro de Álvaro Mutis y entonces no compró nada, y yo, queriendo encontrar respuestas, me llevé un diccionario del crimen escrito por un tipo de apellido Cyriax. El diccionario pasaba de *Pizza Connection* a *planchado* y de *estrangulamiento* a *estricnina*, dejando por fuera *plan* y *estrategia*. Cuando hablaba de *táctica*, lo hacía de *tácticas predatorias*, y cuando lo hacía de *éxito* lo relacionaba con el éxito cuando se comete un crimen, no cuando se quiere vencer al criminal. Eso me confirmó una vez más que los diccionarios nunca se ajustan a la vida real.

A las siete pusimos el noticiero y nos encontramos con las mismas noticias de siempre: algunos funcionarios corruptos estaban siendo investigados, una nueva delegación colombiana viajaba a rogarles a los gringos, un cantante chambón pero de cara bonita venía al país, la guerrilla se tomaba un par de municipios y descubrían a otra persona con un trabajo que daba más risa que dinero. Lo que estábamos esperando vino después del primer corte a comerciales, cuando el presentador anunció que "esta mañana la tranquilidad de los habitantes de Ráquira se vio interrumpida por enfrentamientos entre la policía y delincuentes comunes; María Helena Domínguez amplía esta información". Una periodista raquítica de mechas monas, frente al Estadero donde Samuel continuó diciendo: "Los pobladores de Ráquira no se imaginaron que esta mañana, aproximadamente a las diez, tres hombres irrumpieran en este establecimiento que está a mis espaldas y, con armas de grueso calibre, ajusticiaran a Samuel Ignacio León Ortega, dueño del lugar. La policía se movilizó al sitio de los hechos y dio de baja a dos de los malhechores; en el enfrentamiento resultó herido uno de los oficiales. Según versiones de algunos testigos, tres delincuentes más habrían huido en un Renault 12". Corte al dueño de la heladería donde habíamos desayunado: "Vinieron, me preguntaron quién era el que vivía aquí enfrente y luego entraron. Al rato empezó una plomacera grandísima y todos nos escondimos"; luego, una señora: "Se metieron a mi casa y le echaron bala a un gordo que los estaba esperando afuera". Regresa a la periodista: "La policía negó la participación de más personas en este hecho"; corte a un policía: "Se nos escapó uno; al gordo y al otro los abatimos nosotros". Luego la periodista: "La policía adelanta investigaciones para esclarecer la presencia de más personas y su paradero. Al parecer, todo se trataba de una venganza personal. Sigan ustedes con más noticias en estudio...". Quico apagó el televisor.

–Se voló uno –dijo Jairo.

–Nos volamos seis –corrigió Jaime.

Aunque quedaba vivo uno de los matones de Torrado, la policía de Ráquira se daba crédito por la muerte de Manuel; y el dueño de la heladería no sabía contar o sufría de amnesia. Testigos y policías, sin querer, se habían puesto a nuestro favor.

La Dieciséis había dado pruebas de ser un lugar seguro en los tres meses que Jairo llevaba viviendo en ella; por eso, a despecho de nuestro deseo de ir a Península, como era natural un sábado por la noche, fuimos a tomarnos unas cervezas a El Polo mientras Jairo, ahora convertido en Santiago, trabajaba en la barra. Las canciones de Rocío Dúrcal y Juan Gabriel, alternadas con lastimeras tonadas de Alci Acosta y Charrito Negro, me devolvieron la sensación de extrañeza que tuve en nuestra primera visita. Ahora comprendía del todo las evasivas de Jairo frente a Península —antípoda en lo que a celebración respecta— cuando fuimos a reunirnos con Jaime y el Pollo la noche anterior. Y es que no era para menos, porque mientras uno era el último refugio de los *underground* radicales, militantes del *post-punk*, *new wave* progresistas, adictos a las pastillas, seudo metaleros posmodernos, artistas conceptuales hipercubistas, sadomasoquistas tecnocráticos y *skinheads* místicos, el otro era un antro de despechados folclóricos con tendencia al sentimentalismo *kitsch*, con algo siniestro que no se podía precisar.

—No hay ni una vieja —señaló Quico.

—Es porque este sitio es de galletas —respondió el Pollo.

Dato que confirmamos al cabo de media hora, cuando dos bigotudos en la mesa de al lado empezaron a besuquearse, coreados lentamente por otra pareja, y otra, y otra. Me fui dando cuenta de que no era la pinta de niños ricos lo que nos hacía raros, sino el halo de heterosexualidad que circundaba nuestra mesa.

—Aquí a media cuadra hay otro sitio... —propuso Jaime.

—No es para tanto —lo tranquilicé. —Aquí no hay un letrero que nos prohíba la entrada.

—"Solo se admiten galletas" —sentenció el Pollo, extendiendo los brazos para formar un marco imaginario.

Decidimos olvidarnos de la filiación sexual de los concurrentes a cambio de las cervezas heladas que bajaban por nuestras gargantas sin dique, una tras otra, engrosando las filas de botellas vacías, alineadas como un pelotón de fusilamiento alcohólico en la superficie cada vez más insuficiente de nuestra mesa. Una borrachera dulzona se atornilló a mi cabeza sigilosamente, como si no quisiera hasta el último momento que me diera cuenta de ella, y que descubrí en todas sus proporciones cuando mi vejiga, a punto de reventarse, me puso en pie para ir al baño.

Avancé flotando en un vaho de sudor y humo de cigarrillo hasta la puerta de un cubículo estrecho en el que un gigantón aguardaba para entrar.

—Hace calor, ¿no? —preguntó, con un timbre de voz que contradecía por completo la arquitectura de su cuerpo.

—Sí.

—Nunca te había visto por acá.

En ese momento se abrió la puerta del baño, dejando salir un torrente acre olor a orín envejecido, y tras él a un tipo que acusaba en su jeta mayor cantidad de cervezas que la mía.

—Está abierto —contesté.

El gigantón, derrotado en sus pretensiones conquistadoras, entró. Esperé un rato hasta que la inminencia de mear se manifestó en un chorrito fugitivo que humedeció mis calzoncillos. Toqué la puerta con desesperación. El gigantón salió, me arrojó una mirada seductora y desapareció a mis espaldas. Puedo decir, con certeza, que jamás en mi vida había meado tanto tiempo y con tanto placer de hacerlo, acosado como estaba por la urgencia que me había conducido hasta allá.

Cuando regresaba a la mesa, me topé con Quico, tan borracho como yo.

—Tené cuidado, en la puerta del baño te pueden enganchar —le advertí.

—En el trayecto también —contestó, señalando con un ademán al gigantón, quien al parecer estaba determinado a salir victorioso esa noche.

Apuré un par de cervezas más, hasta que el ambiente se puso tan pesado que quise salir a respirar. Los demás se habían engolfado en la traza de un plan para salir del mierdero en que nos habíamos metido. Decidí abandonarlos con la certeza de que en mi ausencia no iban a urdir algo que valiese la pena, pues la ebriedad había introducido elementos absurdos en cada estrategia.

Una llovizna fina, como de alfileres, había empezado a caer. La luna filosa abrillantaba el piso de la calle, que se prolongaba hacia el occidente adentrándose en una oscuridad abismal. Llené mis pulmones de aire y me sentí como un boxeador a punto de caer a la lona. Era mejor poner un pie detrás del otro y deshacer camino hasta el hotel, ante la inminencia de quedar horizontal en cualquier momento. Así que empecé a caminar por la mitad de la calle hacia la oscuridad infinita que tenía delante. Caí en cuenta de que había dado demasiados pasos cuando me detuve a las puertas del café San Moritz, en cuyo interior reinaba la voz engolada de Gardel. Cuando me di vuelta, a El Polo se lo habían tragado las tinieblas. En ese momento salieron tres personas del café portando sobre sus hombros caras que creí reconocer, pero de las cuales se me escapaban sus rasgos, como en un sueño recordado a medias.

—Ese es el hijueputa del trasteo —afirmó uno de ellos.

Retrocedí unos pasos, buscando inútilmente la pistola que había dejado en el hotel. El mastodonte al que le estrellé mi marranito de barro en la cabeza se acercó y me descerrajó un totazo en el pómulo. La dureza del asfalto, la luna mortecina, una patada en el estómago y dos manos grandotas que me arrastran a la oscuridad solitaria en que desemboca la calle.

La trayectoria inexorable de un golpe que se estrellará contra la carne flácida, ablandada por el alcohol y la resignación, y en ese lapso la esperanza de continuar respirando. El impacto hundiéndose milimétricamente en la piel, dejando tras de sí una consigna de sangre. El cuerpo ovillándose mecánicamente, respondiendo más a un principio físico que a la voluntad, cautiva en el único propósito de seguir con vida. Y otro golpe cayendo en un lugar impreciso, porque hace eco en todos los rincones indiscernibles de una anatomía que perdió la forma. Luego, un recuerdo fantasmal en el intermedio que precede a otro golpe, del cual se aferra el deseo de no estar ahí sino en otro lugar, en otro tiempo, cuando mamá se largó sin mediar despedidas y nos quedamos mi papá y yo, preguntándonos cómo íbamos a sobrevivir sin ella, culpándonos mutuamente de su huida y tratando de compensar la soledad en tertulias vacías que siempre terminaban en recriminaciones, en palizas injustificadas. Mi papá aplacando su ira en cada correazo hasta terminar doblegado por la culpa, pidiendo perdón, llorando en mi regazo como un niño más pequeño que yo, y nos quedábamos dormidos, huérfanos, soñando que ella regresaba; pero al otro día estábamos solos, lidiando con nosotros mismos y una ira ancestral que nació el mismo día en que mamá se fue. Los golpes fueron, durante mucho tiempo, nuestra forma de evocarla, hasta que con los años aprendimos a perdonarnos y a que las tertulias vacías continuaran sin tropiezos, sin mencionar su ausencia ni recordar el trancazo, seguido de otro, el rostro iracundo de mi papá y el alarido silencioso de la carne mancillada, líquidos espesos disolviéndose en la llovizna, rodando por mi cuerpo hasta llegar al asfalto, las arcadas, el sabor de la sangre revuelta en el caudal de jugos digestivos. Otro golpe. Perdóname. El ruido seco del impacto. No sé qué me pasó. El cuero reventándose una vez más. Me hace falta tu mamá. El llanto. El silencio.

No podía llamarse *despertar* aquel remedo de conciencia. Era más bien una sospecha de que estaba vivo. Traté de moverme, pero no sentía ninguna parte de mi cuerpo. En mis oídos se trenzaban voces y lamentos enrarecidos, acompañados de figuras inestables, fluctuantes, como si todo estuviera ocurriendo bajo el agua. El rostro de una mujer se acercó a distancia de beso y me examinó los ojos. Luego desapareció.

—Martín Garrido —anunció una voz femenina, probablemente de la mujer—. Paciente de aproximadamente veinte años, raza blanca, se evidencian politraumatismos con objeto contundente, presenta alteración de la conciencia. Somnoliento.

Todo iba marchando en términos inteligibles hasta que un hombre preguntó en qué Glasgow había llegado. Ella respondió que en catorce y que ahora estaba en trece. Yo, que hasta ese momento siempre había pensado que Glasgow era una ciudad escocesa, supuse que cualquier otra cosa que fuera un Glasgow, cuyo indicador fuera trece, era un signo de mala suerte.

—¿Y lo positivo del examen físico? —preguntó la voz masculina desde distancias remotas.

—Se encuentra con signos vitales estables. Tensión arterial de 120-70, frecuencia cardíaca de 75. Pulsos periféricos presentes. Tiene un trauma en el hemitórax derecho, con fractura de la sexta costilla por erre-equis de tórax. Además presenta una fractura del miembro superior izquierdo con compromiso del cúbito y el radio en el tercio proximal. Los miembros inferiores se observan con múltiples traumatismos y hematomas, con edema grado uno del miembro inferior derecho; yo pienso que puede ser un esguince.

El médico estuvo de acuerdo y luego observó:

—Yo le veo el abdomen con hematomas...

—Es superficial porque en el abdomen todo está normal.

—A este muchacho le dieron durísimo... —comentó el médico—. ¿Tiene lesión craneoencefálica importante?

—El tac salió normal —respondió la mujer.

—La conducta a seguir es tres horas de observación, a ver cómo evoluciona —dijo el médico.

El resto de la conversación se fue desvaneciendo en un sueño pesado, poblado de términos médicos incomprensibles, faldas de cuadros rojos y el eco de gaitas aullando en mi interior.

De nuevo ese sopor acuático transformándolo todo en una gran pecera. Cuando traté de incorporarme, a la lentitud de mis movimientos se interpuso una coraza blanca que me cubría el brazo izquierdo y apretujaba mi pecho. Una fila interminable de camillas, como reproducidas al infinito por espejos, albergaba a cientos de enfermos y accidentados que se movían con la parsimonia y torpeza de moluscos gigantes, trasegando con armaduras de yeso, vendajes y mangueras de todo tipo conectadas a sus cuerpos. Traté de llamar la atención de alguno de los médicos que circulaban por entre las camillas, pero no conseguí un solo movimiento visible, tampoco pude hablar, ni siquiera pude detener las babas que se me escurrían por el mentón. ¿Cómo iba a poder avisarles a los demás? ¿Qué estarían pensando de mi desaparición?

Ya me había resignado a la pecera cuando un médico me tomó la temperatura y me revisó las heridas que tenía en la cara, cubiertas de esparadrapo y entumecidas por la hinchazón.

—Tranquilo, ya vino su hermano y se lo va a llevar a su casa.

Mientras trataba de recordar si tenía un hermano, apareció Putamadre, me acarició la frente como lo haría una mamá e hizo un guiño de complicidad casi imperceptible.

—Este hospital es una porquería, me lo voy a llevar a un sitio mejor —le dijo al médico. Yo intentaba balbucear que no tenía hermanos, que ese tipo me iba a matar, que prefería quedarme para siempre en el hospital antes que irme con él. Todo se redujo a un montón de gemidos desesperados y un agónico movimiento de mi brazo derecho.

—Tranquilo, Martín —dijo Putamadre mientras sostenía mi brazo libre con fuerza—, te vas a poner bien.

—Si se lo lleva es bajo su responsabilidad —alegó el médico.

—No se preocupe, yo asumo los riesgos —respondió Putamadre, inmovilizándome el brazo sin que se dieran cuenta.

—Entonces fírmeme esta orden voluntaria de salida —exigió el médico.

Putamadre firmó con la mano libre y casi de inmediato me pusieron en una silla de ruedas. Yo continuaba gimiendo, pero no tenía la fuerza para que se notara mi desesperación y todo fue interpretado como un gesto de alegría e impaciencia. Mientras Putamadre empujaba la silla de ruedas con rapidez, se acercó a mi oído y me dijo en voz baja que todo lo que me había pasado era un bolero al lado de lo que me iba a hacer cuando llegáramos. Un corredor interminable nos llevó hasta el parqueadero. Traté de tirarme de la silla, pero él me sostuvo y me dijo que me calmara, que todo había pasado, lo suficientemente alto para que un enfermero que nos acompañaba lo escuchara. Nos detuvimos junto a un Montero negro; el enfermero me levantó en vilo mientras Putamadre abría la puerta y recostaba el espaldar de la silla.

—¡Noo! —alcancé a musitar.

El enfermero se detuvo durante dos segundos, confundido, pero Putamadre, sonriendo como una hermanita de la caridad, me tomó en sus brazos, me acomodó en el asiento, cerró la puerta y le dio cinco mil pesos de propina al enfermero. Lo último que pude ver antes de desmayarme fue un letrero que rezaba: "Urgencias-Hospital Universitario de La Samaritana".

—Le voy a cortar los dedos uno por uno, le voy a sacar los ojos con una cuchara, luego le arranco la lengua y lo quemo vivo antes de enterrarlo al lado de Villabona, pa' que por fin se conozcan. Luego voy a ir por esos maricones de sus amigos y les voy a hacer lo mismo —dijo Putamadre, recalcando la última frase con un sopapo que casi me devuelve a las tinieblas del sueño.

Si el sentido de orientación no me fallaba, nos dirigíamos a las canteras del norte, en busca del matorral. Pensé que nada era más aterrador que conocer el sitio en donde te van a matar, poder calcular el tiempo que tenés de vida y sentir la desesperación crecer con cada kilómetro recorrido. Y estaba muy equivocado: es peor cuando esa certeza desaparece al tomar un desvío en el camino y empezás a esperar la muerte en cualquier momento, cuando cualquier recodo de aquel sendero solitario podría ser el último. ¿Existía una fosa más que no habíamos descubierto? Si era así, ¿qué méritos tenía una persona para ser enterrada en una fosa y no en la otra?, ¿en cuál estaba Villabona?, me preguntaba, sabiendo que las respuestas no importaban ahora, que buscarlas era una forma de no pensar en lo que estaba sucediéndome.

Lamenté que mis amigos no pudieran encontrar mi cadáver; lo mínimo a lo que puede aspirar un muerto es un lugar decente donde reposen sus restos. Luego sentí miedo por ellos, pues sabía que no iba a callar su escondite cuando Putamadre empezara a cortarme los dedos.

El tramo tenía unos cien metros y desembocaba en una mansión amurallada, con columnas griegas rematadas en capiteles adornados y una puerta principal por la que podría pasar cómodamente una estampida de elefantes. Putamadre abrió la reja con un mecanismo de control remoto. Entramos por un camino bordeado de flores y llegamos a la casa; abrió la puerta del carro y me ordenó que me bajara, luego salió él, rodeó el carro y me tomó por el brazo izquierdo.

—Aquí es sin sillas de ruedas ni maricadas. O camina o lo mato —sentenció, mientras sostenía la pistola en mi cabeza.

Llegamos a una sala que triplicaba las dimensiones de mi apartamento. En las paredes colgaban cuadros abstractos, seguramente carísimos, una mesa de centro con figuras de cristal y muebles lujosos reposaban ahí como si fuera una indelicadeza utilizarlos para otra cosa que no fuera decorar. Al fondo, una escalera embarandada por donde podrían subir los elefantes sin tropiezo se curvaba para convertirse en un balcón alargado que conducía a las habitaciones del segundo piso. Ana Lucía Sanders se detuvo en el último tercio de la escalera, con los ojos fijos en mi trompicado avance por el mármol de la sala. Llevaba unos *shorts* deportivos tan apretados que la tela parecía crema untada a sus piernas, camiseta blanca y el pelo recogido en cola de caballo; los tenis y la raqueta confirmaban lo que hacía los domingos por la mañana cuando no se presentaba un condenado a muerte en su casa. Se veía más vieja sin maquillaje, pero su caso de todas maneras era una victoria en la desigual lucha contra el paso del tiempo.

—¿Qué es lo que pasa?, ¿quién es ese? —preguntó. No pude precisar si estaba disimulando o si mi aspecto había cambiado tanto en los dos últimos días.

Como un niño descubierto haciendo una travesura, Putamadre trató de disculparse:

—No se preocupe, doña Ana Lucía, son cosas de nosotros.

La Sanders continuó bajando las escaleras. La presión sobre mi brazo cedió, ahora el gorila me sostenía como lo haría un paje. Cuando estuvo frente a nosotros juntó los talones, lo miró a los ojos con rabia y se descubrió el hombro dejando ver las cicatrices.

—Esto también es cosa de ustedes, entonces no me diga que no me preocupe.

Completó su camino hacia la puerta, de espaldas a nosotros, con una indiferencia tan calculada hacia mí que no me quedaron dudas de que me había reconocido. La esperanza de que la Sanders pudiera interceder se desvaneció con el portazo que marcó su retirada. Putamadre, recuperadas sus dotes intimidatorias, me condujo por un corredor hasta el patio trasero de la casa, un rectángulo de hierba pareja con dos almendros medianos. Allí, el impulso depredador de un perro gigantesco sucumbió ante la cadena que lo sujetaba a uno de los árboles. Proseguimos hasta un cuartucho recostado en la muralla que circundaba la casa, en una esquina del patio. Putamadre abrió la puerta y me hizo entrar de un empellón. Traté de amortiguar el impulso sobre mi pie derecho, pero un corrientazo de dolor me aflojó el cuerpo. Las aristas del suelo irregular que tenía el cuarto sumaron algunos golpes a los que ya traía conmigo. La puerta se cerró a mis espaldas, dejándolo todo en completa oscuridad.

Con el tiempo dejás de preguntarte si el roce que sentiste en la mano existió de verdad, si ese sonido es de aleteos o si algo se arrastra hacia vos; porque la oscuridad y el silencio vienen acompañados de la presencia, real o imaginaria, de ratas, cucarachas, arañas y murciélagos, y ya tenés suficiente con todo lo que ha pasado como para terminar refugiado en un rincón protegiéndote de esa incierta fauna de calabozo. Miedo evasor: fabricás temores baratos para olvidarte de cuando abran la puerta y te cagués en los pantalones. Lamentás haberte dado cuenta de eso, porque era más fácil cuando se trataba de los bichos, pero de lo otro no te podés librar aunque te acurruqués en el suelo y tratés de morirte espontáneamente, de muerte natural, porque allí no hay nada con lo que podás suicidarte para negarles el gusto de verte morir. Luego, tristemente caés en cuenta de que te faltaría el coraje para morir por tus propios medios, si los hubiere.

Tu cuerpo se ablanda como un guante que ha sido despojado de su mano, se desparrama, adopta las deformidades del suelo. En vano te apretás contra el vértice de la pared, en el que empezás a encajar lentamente hasta volverte una gelatina apenas contenida por el yeso y los vendajes. Sin fuerzas, te abandonás a sensaciones que no habías percibido, como la humedad que respirabas sin que llegara a molestarte antes, un frío que pela los dientes, el goteo próximo de una tubería, los pasos del perro en el patio, el rumor del viento contra el techo de zinc… Tratás de clasificar los sonidos de acuerdo con su lejanía o proximidad, descifrar algunos que son abstractos y que has decidido no atribuir a los bichos, aislar tonos y cadencias, escribir una partitura mental de aquella sinfonía ominosa.

El perro ha ladrado dieciocho veces, al parecer hay pájaros en el techo, la tubería gotea cada doce segundos, hay posibilidades de que esté cayendo una lluvia liviana y debe ser de noche porque hace poco el crujido eléctrico de una bombilla cercana se unió al coro; han pasado treinta y cinco carros por la carretera, de los cuales al menos siete eran camiones; no has escuchado pasos fuera, de vez en cuando te suenan las tripas aunque por obvias razones no tenés hambre y, a pesar de que pretendás lo contrario, alguna alimaña revolotea en el interior del cuarto, tal vez una de esas mariposas negras, de innegable mal agüero, que te asustaban cuando eras niño.

Ha pasado mucho tiempo, Martín, el suficiente para que hayás terminado la partitura antes de escuchar un carro que llega hasta la casa y los aullidos del perro, que seguramente ha reconocido la llegada de su amo. Ahora, la meticulosidad con la que habías procedido en tan inútiles conjeturas se convierte en una trenza de angustias que a cada embestida destrozan un poco más el control que pudiste llegar a tener y ahora se pierde como una mariposa negra en la oscuridad.

Como un puñado de sal arrojado a los ojos, la luz de un bombillo estalló en el lugar, desnudando la patética escena en la que yo, adosado contra el rincón, trataba de protegerme del resplandor con un brazo mientras entraban Putamadre, el mayor Eduardo Palomino y José Ignacio Torrado. Putamadre me tomó por el brazo y me hizo sentar en un butaco que amablemente el senador Torrado había acomodado en el centro del cuarto. Tres sillas más, que permanecían arrumadas en un rincón, fueron colocadas frente a mí, presagiando que estaban dispuestos a tomarse su tiempo conmigo. Torrado era más bajo de lo que se veía en televisión, tenía ojos hundidos y la cara alargada, rematada en una calva brillante de la cual salían orejas puntiagudas y alargadas. Parecía como si en una reencarnación anterior hubiera sido un ratón y le quedaran vestigios de ello.

—Por fin nos conocemos, señor Garrido —dijo.

Permanecí en silencio.

—Vayamos al grano —intervino el Mayor—: lo vamos a matar, de eso no le quede ninguna duda; pero el sufrimiento podría ser menor si usted nos dice dónde están Jairo y el resto de sus amigos.

Lo que me temía. Si se trataba de resistir una tortura, las horas de Quico, Jaime, el Pollo y Jairo estaban contadas.

—¡Aunque de todas maneras le va a ir mal, granhijueputa! —terció Putamadre—. Se va a arrepentir de lo de Manuel y Caja Negra.

Se levantó de la silla y me clavó una trompada. Un golpe seco, que retumbó en mi cabeza como si estuviera llena de aire. Cuando volví a tomar posesión de mis sentidos, los tres estaban esperando una respuesta. Decidí aguantar lo que más pudiera.

—No sé.

En un interrogatorio de estas características, siempre se presume que la víctima está diciendo mentiras cuando responde negativamente a una pregunta. Putamadre me largó una cachetada. Mi voz se quebró en un lamento.

—¡Díganos! —gritó Torrado, dejando ver una hilera de dientecitos romos y amarillentos.

—No sé. Nos separamos.

Putamadre agarró mi mano derecha, que estaba libre de yeso, separó el índice y me lo dobló hacia atrás. Mi dedo se descoyuntó con un crujido de pan tostado. Un dolor agudo, como un grito de soprano, recorrió mi cuerpo.

—¡Por favor! —supliqué, descubriendo que había logrado cifrar esperanzas en su ánimo de continuar. Esta vez fue el dedo medio.

—Lo juro, no tengo idea —insistí, en un tono exangüe.

Palomino parecía disfrutar del espectáculo. Torrado de vez en cuando miraba hacia otro lugar mientras Putamadre, lentamente, casi con cariño, desprendía el meñique de su articulación.

—Por lo visto, tampoco le importaría conservar el otro dedo sano —señaló Torrado, dando una orden implícita que Putamadre ejecutó en mi anular.

Una obstinación que empezaba a parecerse a la valentía anidó en mí, el primer sorprendido de no haber revelado el escondite de mis amigos tras cuatro dedos rotos y dos coñazos. Estiré mi mano, ofreciendo el pulgar con la alevosía de quien se ha resignado a cualquier suplicio. Putamadre replicó con un cachazo en la frente que me lanzó al suelo. Una mezcla de sudor y sangre empezó a manar por mi frente. Me levantaron entre Palomino y Putamadre y me sentaron en el taburete, pero no pude mantener el equilibrio y fui a dar al piso nuevamente.

—Esta mierda ya me está cansando —dijo Palomino—. Hágase el machito y aquí lo tenemos tres días hasta que se nos muera.

—Coman mierda —respondió una voz dentro de mí sin obedecer al miedo que me suplicaba que dijera en dónde estaban los demás.

Palomino extrajo un revólver de la parte trasera de su cintura, vació el tambor y con actitud didáctica introdujo un proyectil en él, luego de girarlo rápidamente, lo cerró, dejando en manos del azar el final del interrogatorio.

—Pensándolo mejor, vamos a acabar bien rápido esta maricada y luego buscamos a sus amigos sin ayuda —concluyó. Luego puso el revólver en mi cabeza.

Torrado no tenía los redaños para episodios como este. Parecía como si quisiera excusarse e irse a otro lado, pero no se decidía a hacerlo.

—Puede ser su última oportunidad... —advirtió.

Cerré los ojos y esperé la detonación que acabara con todo de una vez. Mi casa de Cali la huida de mi mamá los golpes de mi papá el colegio el Pollo Jaime y Quico mi primer beso en la puerta de una fiesta de casa los juegos nacionales la medalla de natación Bogotá la residencia de Doña Magola Nicolás Rondón y Los Gavilanes el apartamento de doña Consuelo Península

Alejandro Villabona los hare krishna las fotos Noel Leumás Carolina Foto Estudio Santallana Ana Lucía Sanders José Ignacio Torrado el mayor Palomino la camioneta roja la revista Cromos la crisis nerviosa el recibo de teléfono Ráquira Santiago El Polo Jairo el mystical el matorral Samuel León el Hotel Luna los tipos del trasteo el Hospital La Samaritana la casa de Torrado la Sanders en atuendo deportivo el perro el cuarto la mariposa negra los dedos...

Clic.

—Estuvo de buenas —dijo Palomino.

Luego extrajo el tambor, le puso otra bala, lo giró y lo cerró de nuevo al azar. Cuando puso el revólver en mi frente, un chorro de orines empapó mis pantalones. Putamadre sonrió.

—Están en el Hotel Luna, en la calle Dieciséis —confesé.

De pronto, todos nos distensionamos, como si en el fondo ellos quisieran que yo continuara con vida.

—José Ignacio —dijo una voz que no estaba dentro del libreto.

Todos volteamos hacia la puerta. Ana Lucía Sanders estaba en el umbral. En sus ojos se advertía una determinación misteriosa, como si fuera un robot programado para cumplir instrucciones.

—¿Qué estás haciendo aquí? —preguntó irritado.

Sin mediar palabra, Ana Lucía Sanders estiró el brazo y abrió fuego contra Torrado, que cayó al suelo sin vida. Eduardo Palomino se apartó con más destreza que nerviosismo, apoyó una rodilla en tierra y disparó justo hacia la cabeza de Ana Lucía; solo se escuchó una detonación, Palomino murió sin entender por qué el Dios al que se había encomendado y del cual llevaba un crucifijo colgado al cuello le cobraba en ese momento sus pecados haciendo que el percutor golpeara una cámara vacía del revólver que ahora se le escurría de la mano sin vida. Putamadre, más empírico que Palomino, sin la elegancia inútil que este mostró en su desafortunada defensa, se abalanzó hacia ella y fue detenido por un disparo que le abrió la cabeza como una sandía.

Nos miramos durante una eternidad, con un terror que se convirtió lentamente en complicidad de víctimas. La Sanders bajó el brazo.

—Ya terminó —dijo, con un hilito de voz.

—Gracias.

—Puede irse —dijo—. Nadie lo va a ver salir.

Me levanté trabajosamente y caminé hacia la puerta. Ella se apartó para dejarme pasar.

—¿Usted va a estar bien? —pregunté.

Ana Lucía Sanders fijó sus ojos en un punto inexistente, más allá de los cuerpos inertes y las paredes de aquel cuarto, y desde el último recodo de una tristeza que había enraizado en los escombros de su alma, respondió:

—Nunca.

Atravesé el patio sin mirar atrás, como un insecto al que un niño le ha arrancado la mayoría de sus patas; luego, la casa. Solo me detuve un instante, frente al portón de la muralla, cuando un último disparo retumbó en el interior, en medio de esa noche lluviosa, sellando el momento en que por fin el fantasma de Alejandro Villabona podría descansar en paz.

—¿Por qué no me devolvés el control remoto, Pollo de mierda?...
o cambiá esos programas de Televentas —le supliqué al Pollo, que
se aprovechaba de mi inmovilidad para utilizar el televisor como
instrumento de tortura.

Jaime, movido por la compasión, apagó el televisor.

—No lo jodás, güevón, que bastante ha sufrido en estos días.

Quico, que había estado distraído mirando el culo de la enfer-
mera, me preguntó cuándo venía mi papá.

—Mañana.

—¿Le vas a decir la verdad de lo que pasó?

—Algún día.

En ese momento entró Jairo al cuarto. Llevaba una maleta en
la mano.

—Qué hubo muchachos. Ahí les dejo la dirección y el teléfono
de mi casa. Por allá a la orden, cuando vayan a La Mesa —había
algo de tristeza en su mirada, pero también la ilusión que le hacía
volver a su pueblo y empezar de nuevo.

Nos abrazó, cargó su equipaje, se detuvo en la puerta y me
dijo "muchas gracias, Martín". Luego se volteó hacia Quico y,

antes de irse, le dijo que "ella estaba ahí afuera". Quico asintió, les hizo una seña a los demás y salieron dejando la puerta abierta.

Carolina caminó dando pasitos inseguros hasta mi cama y me agarró la mano. Estaba preciosa.

—Ellos me contaron todo... Perdóname.

—No importa —respondí.

Nos quedamos en silencio. Carolina miraba hacia las sábanas inmaculadas.

—Cuando me den de alta puedo ir a buscarte... —dije.

Su cara se ensombreció de pronto, levantó los ojos y su mirada era de esas que anticipan las malas noticias.

—Que te vaya bien, Marti —dijo, mientras se levantaba de la cama. Luego me dio un beso y salió sin mirar atrás.

Me quedé mirando hacia la puerta entreabierta. Trataba de encontrar una fórmula telepática para suplicarle que se quedara, que podíamos empezar de nuevo. Sus pasos resonaron en el pasillo, rumbo al ascensor.